Guido Klaus

Tastenforscher Blattspieltraining von Anfang an

Noten, Intervalle und
Rhythmus schnell erfassen

Impressum

VHR 3418 / ISMN 979-0-2013-1086-2 / ISBN 978-3-86434-172-4

Illustrationen: Martina Hussmann
Umschlaggestaltung: Ulrike Hofbauer
Notensatz: Regina Krauß
Lektorat: Uwe Sieblitz

www.holzschuh-verlag.de

Vorwort

Liebe Schüler*innen und Eltern, liebe Klavierpädagog*innen!

Viele Klavierschüler*innen umgehen – oft jahrelang – geschickt das Erfassen des Notenbildes, indem sie überwiegend durch Nachahmung und Imitieren lernen. Sie verhindern aber dadurch den Weg zu ihrer musikalischen Selbstständigkeit, denn weder beherrschen sie das Notenlesen, noch können sie einen rhythmischen Verlauf erfassen.

Dieses Buch enthält ein sorgfältig aufgebautes Programm, das eine wertvolle Basis für genau diese Selbstständigkeit vermitteln kann. Es beginnt mit dem Überblick über die wichtigsten fünf Oktaven auf der Tastatur. Man orientiert sich zunächst an der Note C – später zusätzlich an der Note G – und muss spontan Melodieverläufe von diesen Tönen aus auf der Tastatur in der richtigen Oktave realisieren. Dabei kommt dem Vorauslesen eine zentrale Bedeutung zu: Die Augen müssen lernen, den Fingern stets voraus zu sein! In den anschließenden Kapiteln erlernt man, größere Intervalle von Sekunden optisch zu unterscheiden – zunächst Terzen, später auch Quarten und Quinten. Dabei können die Intervalle in einer Melodie versteckt sein oder als Zusammenklang (harmonisch) verwendet werden. Im vorletzten Kapitel kommen die Versetzungszeichen dazu, also das Kreuz (♯), das B (♭) und das Auflösungszeichen (♮). Bei Experimenten mit Tonleitern und Akkorden warten interessante Aufgaben, um die Versetzungszeichen anzuwenden. Hier wird auch das Gehör sinnvoll mit einbezogen.

Dieses Buch soll man nicht „üben" wie ein Menuett oder eine Sonatine. Es geht vielmehr darum, ohne größere Vorbereitungen mit den Übungen und kleinen Stücken zurechtzukommen. Daher eignet es sich auch für so manche „faule Woche", in der nicht geübt werden konnte (Schulstress). Man bringt einfach das Blattspieltraining mit und die Klavierstunde kann umgehend sinnvoll genutzt werden. Und ab einem bestimmten Moment sollte man die fortgeschrittenen Schüler*innen ermutigen, zusätzlich alte Stücke, die sie vor einigen Jahren gespielt haben, als weiteres Blattspielmaterial zu nutzen. Denn vom Blatt spielen lernt man v. a. durch vom Blatt spielen.

Ich wünsche mir, dass das Buch bei vielen Kindern, Jugendlichen und Erwachsenen dazu beiträgt, zunächst die Angst vor den Noten abzubauen und ihnen anschließend vermittelt, wie man die musikalischen Hieroglyphen entziffert und in konkrete Musik verwandeln kann.

Guido Klaus

Inhalt

1

1.1 Noten-Tasten-Überblick 1

Je drei C-Noten im Violin- und Bassschlüssel

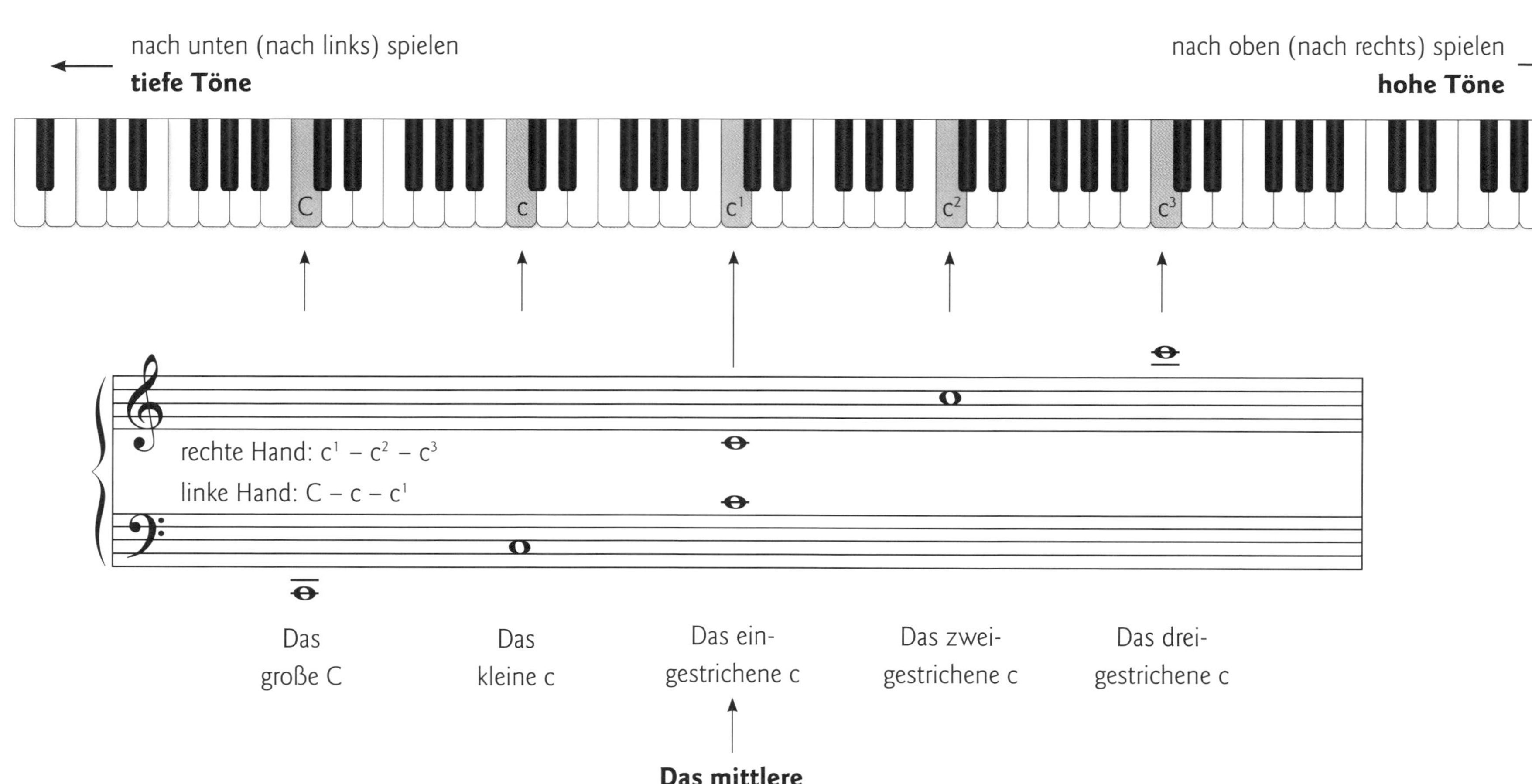

Das mittlere c am Klavier können wir im Violinschlüssel und im Bassschlüssel schreiben. Im Violinschlüssel (rechte Hand) ist es ein tiefer Ton → 1. Hilfslinie unter den 5 Linien. Im Bassschlüssel (linke Hand) dagegen ist es ein hoher Ton → 1. Hilfslinie über den 5 Linien. Beide schauen sich ähnlich, da sie jeweils eine Hilfslinie haben.

1.2 Die Note C im Violinschlüssel: c^1 - c^2 - c^3

(das ein-, zwei- und dreigestrichene c)

Rechte Hand: egal mit welchem Finger die richtigen C-Noten auf der Tastatur finden ...

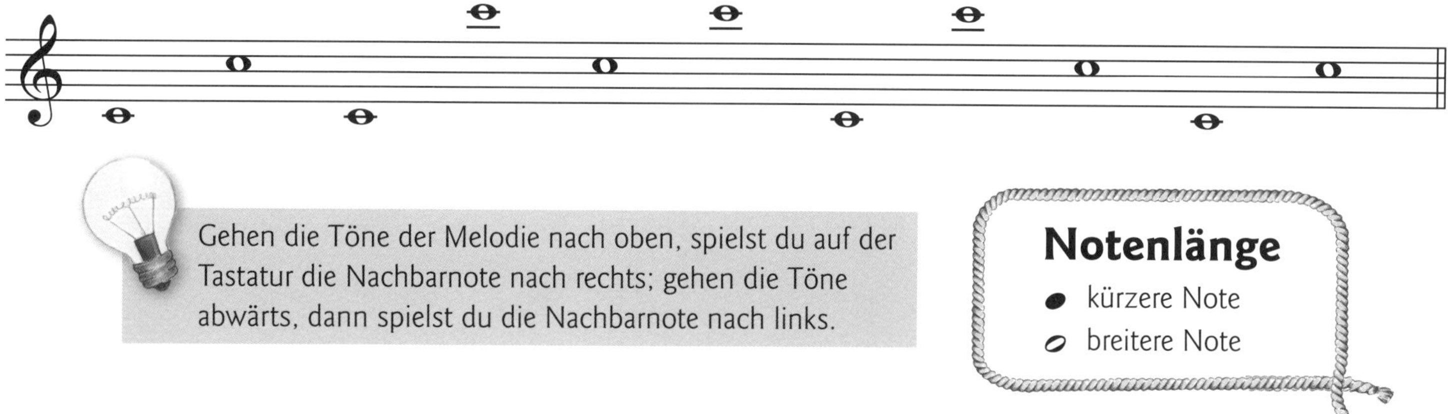

Gehen die Töne der Melodie nach oben, spielst du auf der Tastatur die Nachbarnote nach rechts; gehen die Töne abwärts, dann spielst du die Nachbarnote nach links.

Notenlänge

- kürzere Note
- breitere Note

Jeweils mit dem angegebenen Finger die richtige C-Note spielen und dann noch eine Minimelodie hinterher ...

Minimelodien

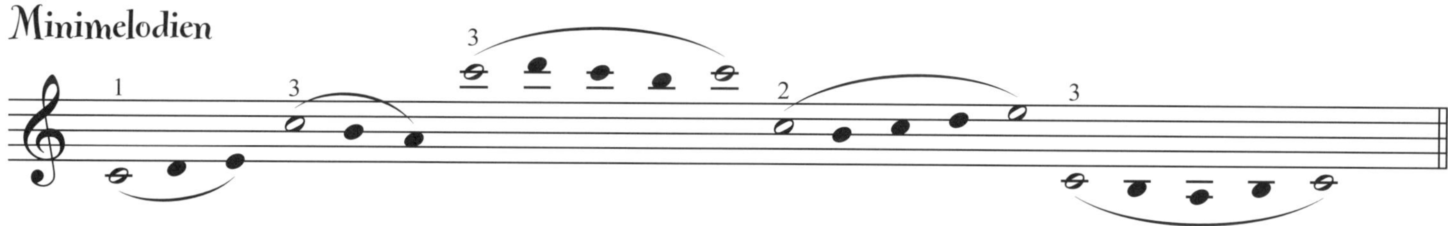

1.3 Die Note C im Bassschlüssel: C - c - c^1

(das große C, das kleine c und das eingestrichene c)

Linke Hand: egal mit welchem Finger die richtigen C-Noten auf der Tastatur finden ...

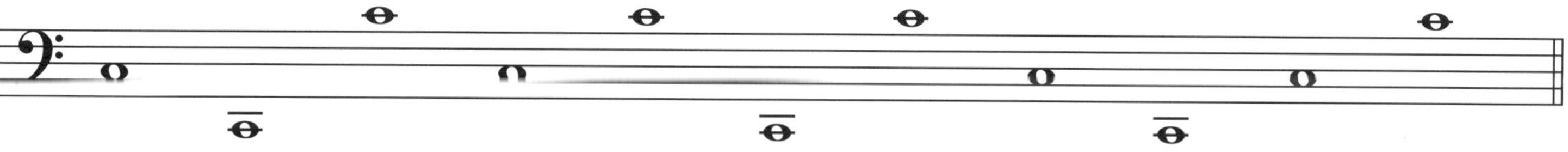

Jeweils mit dem angegebenen Finger die richtige C-Note spielen und dann noch eine Minimelodie hinterher ...

Minimelodien

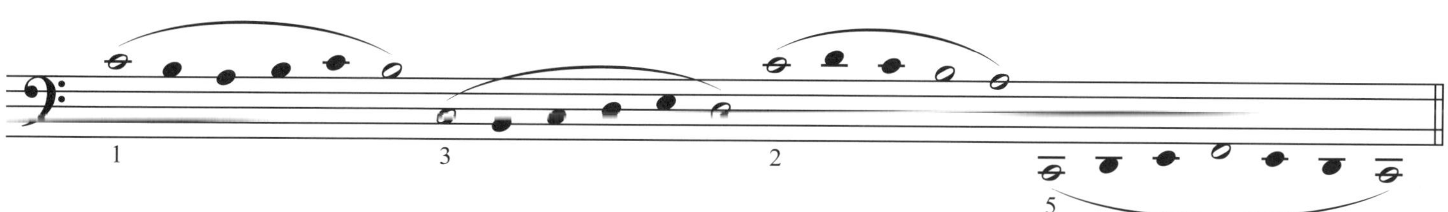

Alle Minimelodien im Violinschlüssel, danach die Minimelodien im Bassschlüssel noch mal spielen und die Notennamen mitsprechen.

Kontrolle zum Mitlesen (Eltern)

𝄞 c-d-e / c-h-a / c-d-c-h-c / c-h-c-d-e / c-h-a-h-c

𝄢 c-h-a-h-c-h / c-h-c-d-e-d / c-d-c-h-a / c-d-e-f-e-d-c

1.4 Abwechselnd mit beiden Händen

Wichtig: Versuche immer vorauszuschauen, auf welchem Ton die nächste kleine Melodie beginnt, und lege die Hand schon bereit.

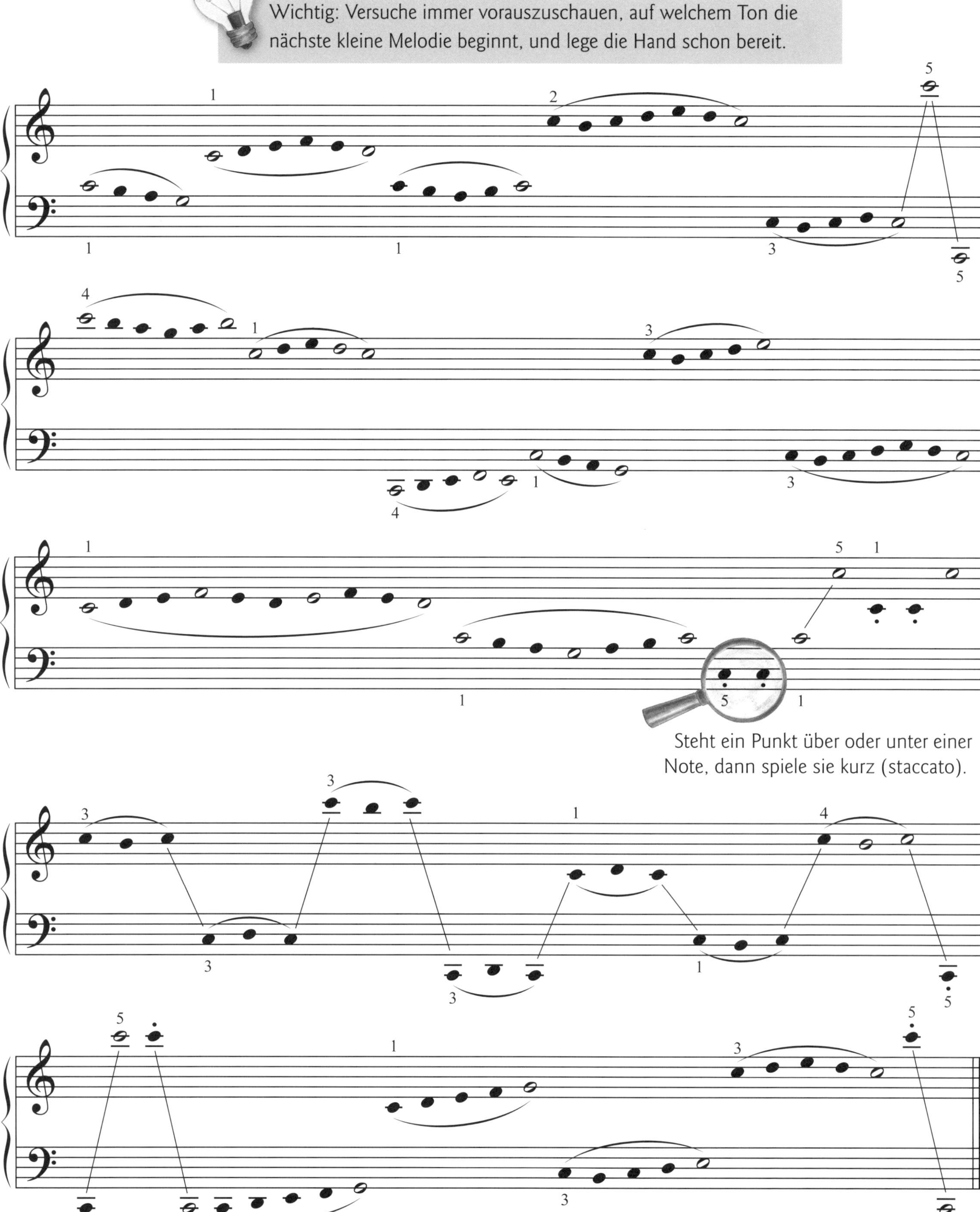

Steht ein Punkt über oder unter einer Note, dann spiele sie kurz (staccato).

Bei den folgenden Übungen die Notennamen wieder mitsprechen (Kontrolle unten).

Versuche bei den letzten 2 bis 3 Tönen jeder kleinen Melodie vorauszuschauen, wo die nächste beginnt, und bereite die Position mit der anderen Hand vor.

Jede Zeile so oft spielen, bis du nicht mehr anhalten musst.

a)

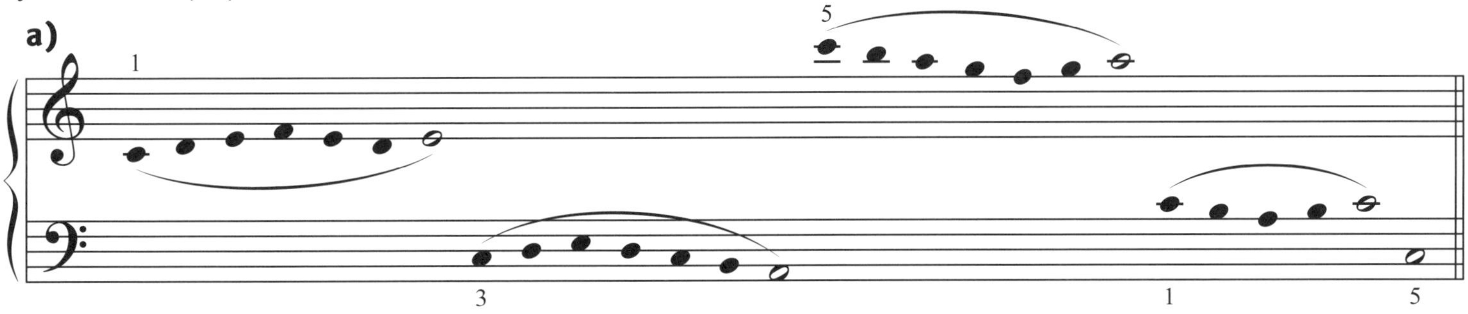

b)

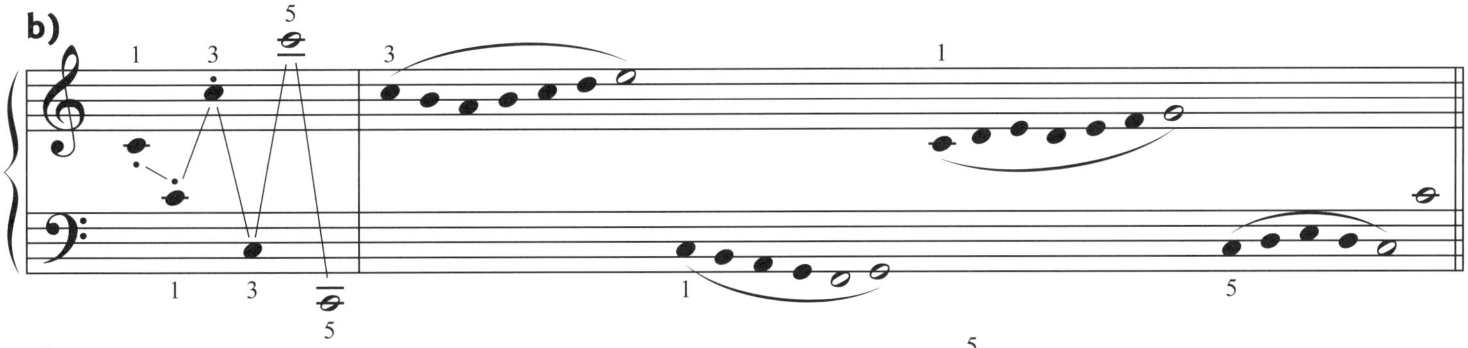

c)

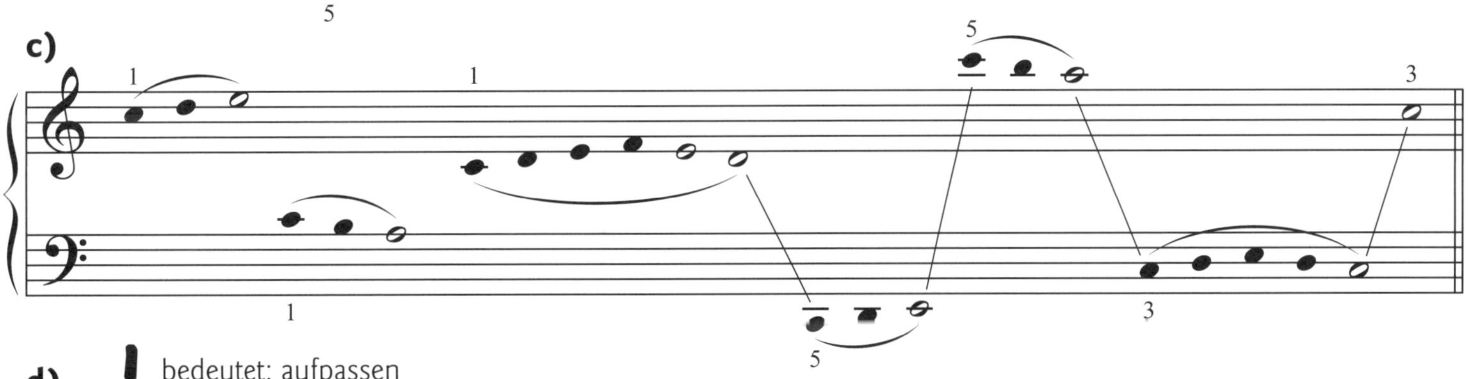

d) **!** bedeutet: aufpassen

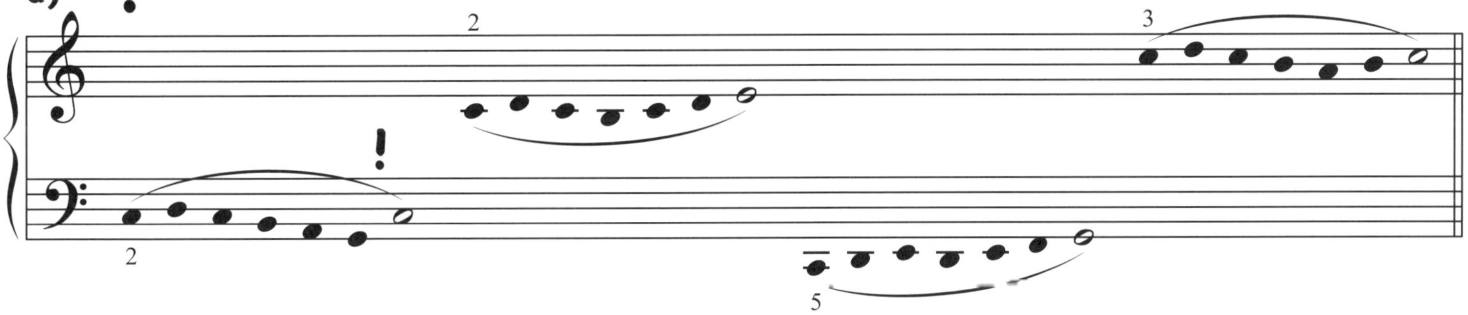

Kontrolle zum Mitlesen (Eltern)

a) c-d-e-f-e-d-e / c-d-e-d-c-h-a / c-h-a-g-f-g-a / c-h-a-h-c-c

b) c-c-c-c-c-c / c-h-a-h-c-d-e / c-h-a-g-f-g / c-d-e-d-e-f-g / c-d-e-d-c-c

c) c-d-e / c-h-a / c-d-e-f-e-d / c-d-e / c-h-a / c-d-e-d-c-c

d) c-d-c-h-a-g-c / c-d-c-h-c-d-e / c-d-e-d-e-f-g / c-d-c-h-a-h-c

1.5 Längere Melodien mit Umgreifen

Fingerwechsel auf Tonwiederholungen / Notennamen bitte mitsprechen

a)

b)

c)

d)

e)

f)

g)

Kontrolle zum Mitlesen (Eltern)

a) c-h-a-g-a-h-a / a-g-f-e-f-g-f / f-e-d-c-d-e-d-c
b) c-h-a-h-a-g / g-f-e-d-c-d-e / d-e-f-e-f-g / g-a-h-c
c) c-h-a-g-f-g / g-f-e-d-c-d / c-h-a-h-c-d-e-d-c
d) c-d-e-d-e-f-g / g-a-g-f-e-a / a-h-a-g-f-h / h-a-g-a-h-c
e) c-h-a-h-c-d-c / c-d-e-f-g / g-a-g-f-g-a-h-c / c-h-c-d-c-c
f) c-d-e-d-c-h-a / a-h-c-h-a-g-f / f-g-f-e-d-e-f / g-f-e-d-c-c
g) c-h-a-g-a-h-a-g / g-f-e-d-e-f-e-f-g / g-f-e-d-e-d-c

1.6 Notenrätsel

 *Finde alle C-Noten und markiere sie farblich. Was erkennst du?*
Vorsicht: Violinschlüssel und Bassschlüssel wechseln sich ab!

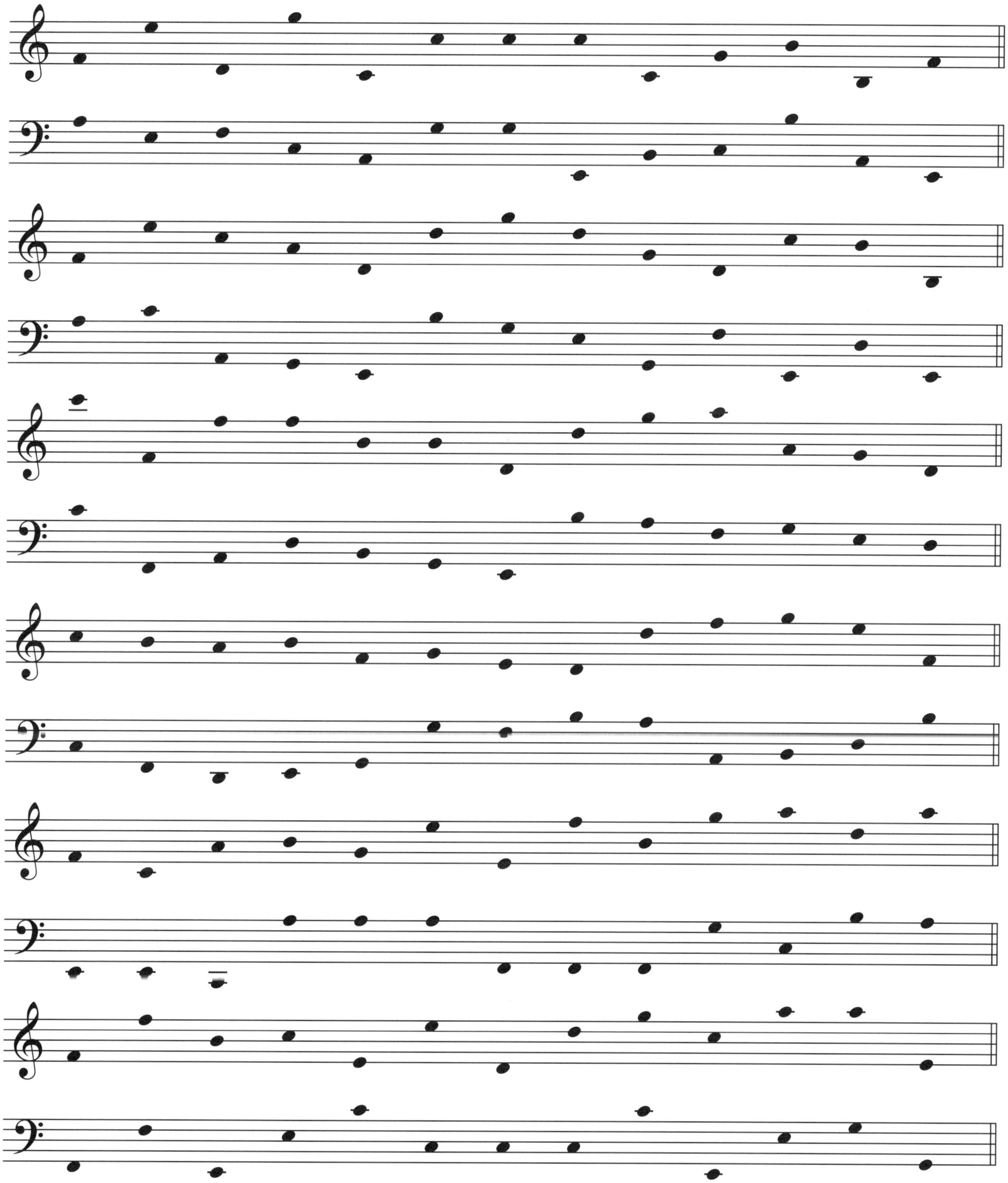

1.7 Rhythmustraining 1

Notenwerte

Viertelnote
1 Zählzeit (schwarzer Notenkopf mit Hals)

Halbe Note
2 Zählzeiten (weißer Notenkopf mit Hals)

Achtelnote
½ Zählzeit, 2 Achtel ergeben 1 Viertel (der Notenhals hat ein Fähnchen oder mehrere Achtelnoten einen Balken).

Ein Musikstück besteht in der Regel aus kleinen gleich langen Abschnitten, die wir Takte nennen. Am Anfang eines Musikstückes (in der ersten Zeile) gibt es eine Angabe, die diesen Takt benennt. Die untere der beiden Zahlen gibt dabei an, in welchen Notenwerten man denken und zählen soll (meist Viertel = 4 oder Achtel = 8). Wie viele dieser Noten in jedem Takt vorkommen, sagt uns die obere Zahl. Wir verwenden zunächst 3/4- und 4/4-Takte.

Die folgenden Beispiele bitte klopfen und – wenn möglich – dazu laut den Takt zählen. Ein Metronom kann dir dabei helfen. Bitte vor dem Klopfen immer einen Takt vorauszählen.

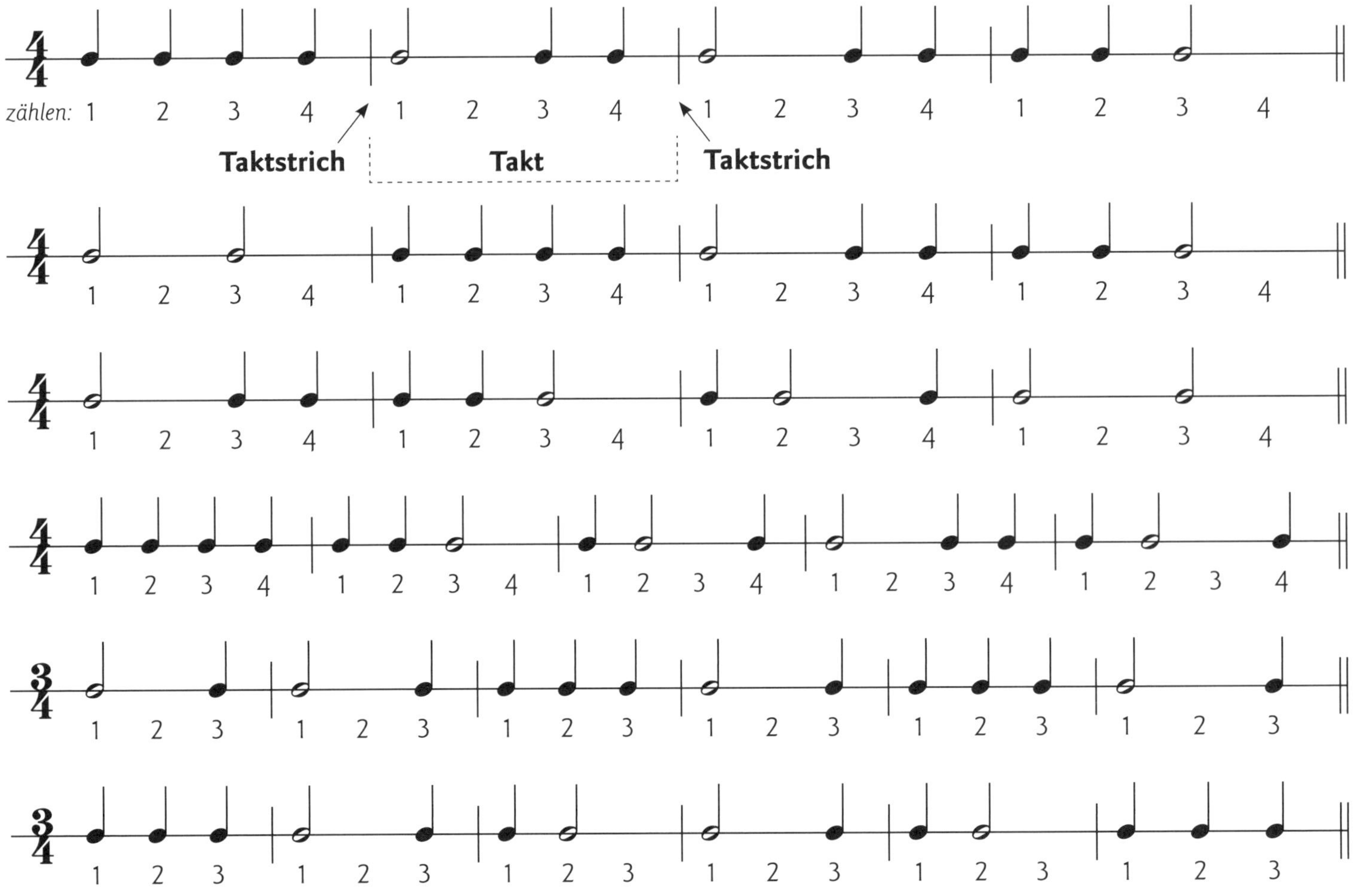

4/4
zählen: 1 2 3 4 | 1 2 3 4 | 1 2 3 4 | 1 2 3 4
Taktstrich — Takt — Taktstrich

4/4
1 2 3 4 | 1 2 3 4 | 1 2 3 4 | 1 2 3 4

4/4
1 2 3 4 | 1 2 3 4 | 1 2 3 4 | 1 2 3 4

4/4
1 2 3 4 | 1 2 3 4 | 1 2 3 4 | 1 2 3 4 | 1 2 3 4

3/4
1 2 3 | 1 2 3 | 1 2 3 | 1 2 3 | 1 2 3 | 1 2 3

3/4
1 2 3 | 1 2 3 | 1 2 3 | 1 2 3 | 1 2 3 | 1 2 3

Zähle jetzt die Takte jeder Zeile. Das Ergebnis müsste sein: 4, 4, 4, 5, 6, 6

In einen 4/4-Takt passen 4 Viertelnoten oder 2 halbe Noten oder 8 Achtelnoten – oder Kombinationen daraus.
Überprüfe bitte alle Takte auf dieser Seite, ob rechnerisch immer die richtige Anzahl an Noten enthalten ist. Bei jedem + bitte „und“ sagen.

Beim Notenwerte-Rechnen zählen wir eine Viertelnote als 1, eine halbe Note als 2 und Achtelnoten jeweils als 1/2 (0,5). In einem 4/4-Takt müssen wir also auf jeweils vier Zähler kommen und in einem 3/4-Takt auf drei Zähler (z. B. 2 Viertel + 2 Achtel).

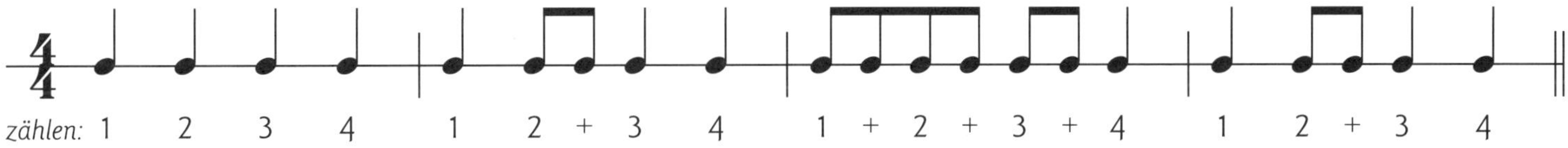

Bei den Achtelnoten sprechen wir bitte jedes + als „und“ – z. B. im 3. Takt (oben): 1 und 2 und 3 und 4

Wenn das Zählen noch zu schwierig ist, sagen wir bei Viertelnoten „lang“ (Ta), bei Achtelnoten „kurz“ (Ti) und bei halben Noten „ganz-lang“ oder „la-hang“ (Ta-o). Oder man verwendet die Rhythmussprache: Ta - Ti - Tao

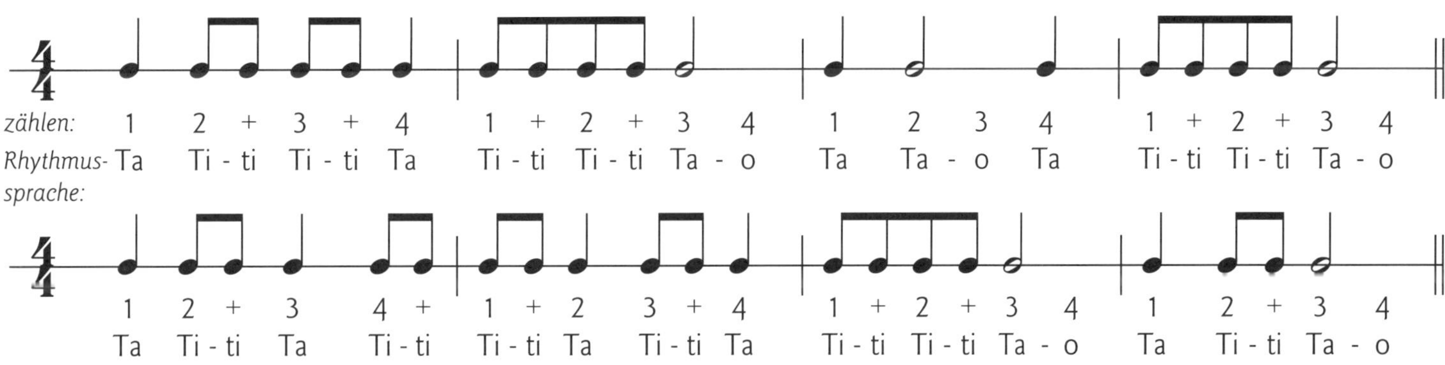

In einen 3/4-Takt passen 3 Viertelnoten oder 1 halbe Note + 1 Viertelnote oder 6 Achtelnoten oder Kombinationen (z. B. 1 Viertel + 4 Achtel oder 2 Viertel + 2 Achtel).

1.8 Melodien mit Rhythmus

Mögliche Vorübungen bitte in dieser Reihenfolge:

a) Den ersten Ton einer Melodie mit dem richtigen Finger anschlagen.
b) Danach mehrmals alle Töne langsam ohne Rhythmus spielen (Tonnamen mitdenken).
c) Nur den Rhythmus mit der richtigen Hand klopfen.

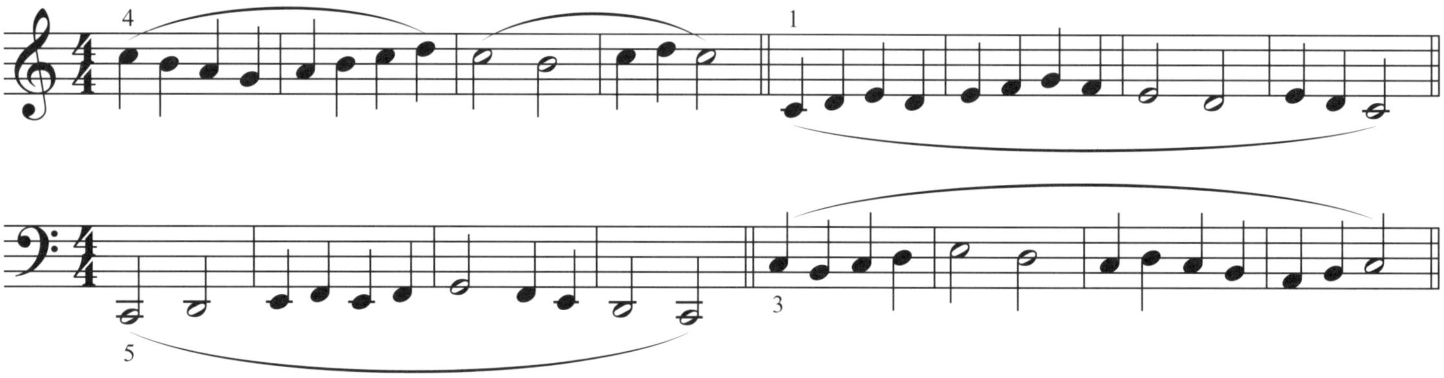

Und immer etwas vorausschauen: Die Augen müssen schneller als die Hand sein!

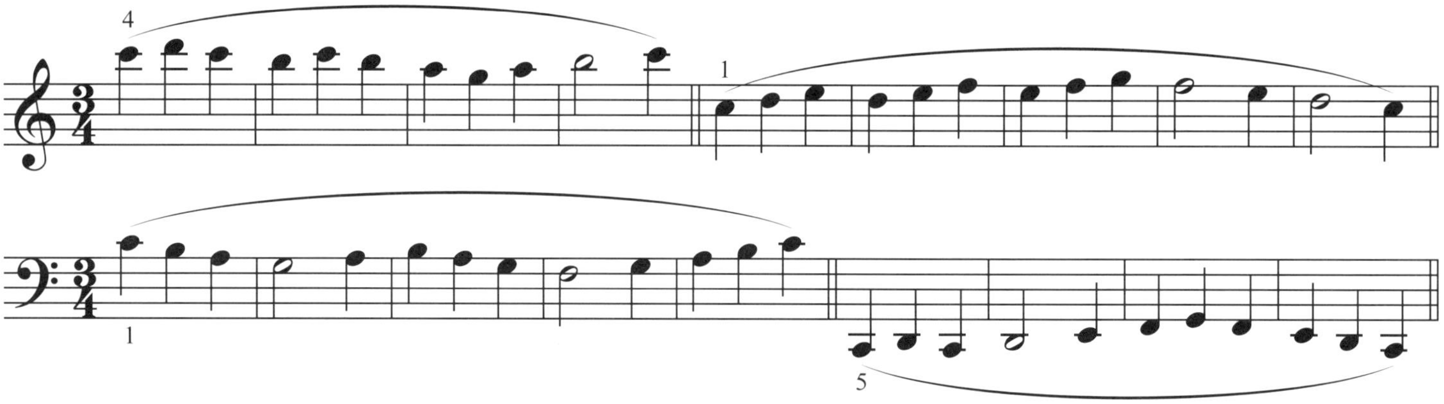

Und jetzt mit Achtelnoten! Beim Klopfen und Spielen darauf achten, dass diese genau doppelt so schnell wie die Viertelnoten sind (wir zählen: 1 + 2 + 3 + 4 +).

Im raschen Wechsel der beiden Hände

Und noch rascher ...

2.1 Noten-Tasten-Überblick 2

Je zwei G-Noten im Violin- und Bassschlüssel

Nach den fünf C-Noten erlernen wir jetzt noch die vier G-Noten, die sich jeweils zwischen den C-Noten (graue Stichnoten) befinden.

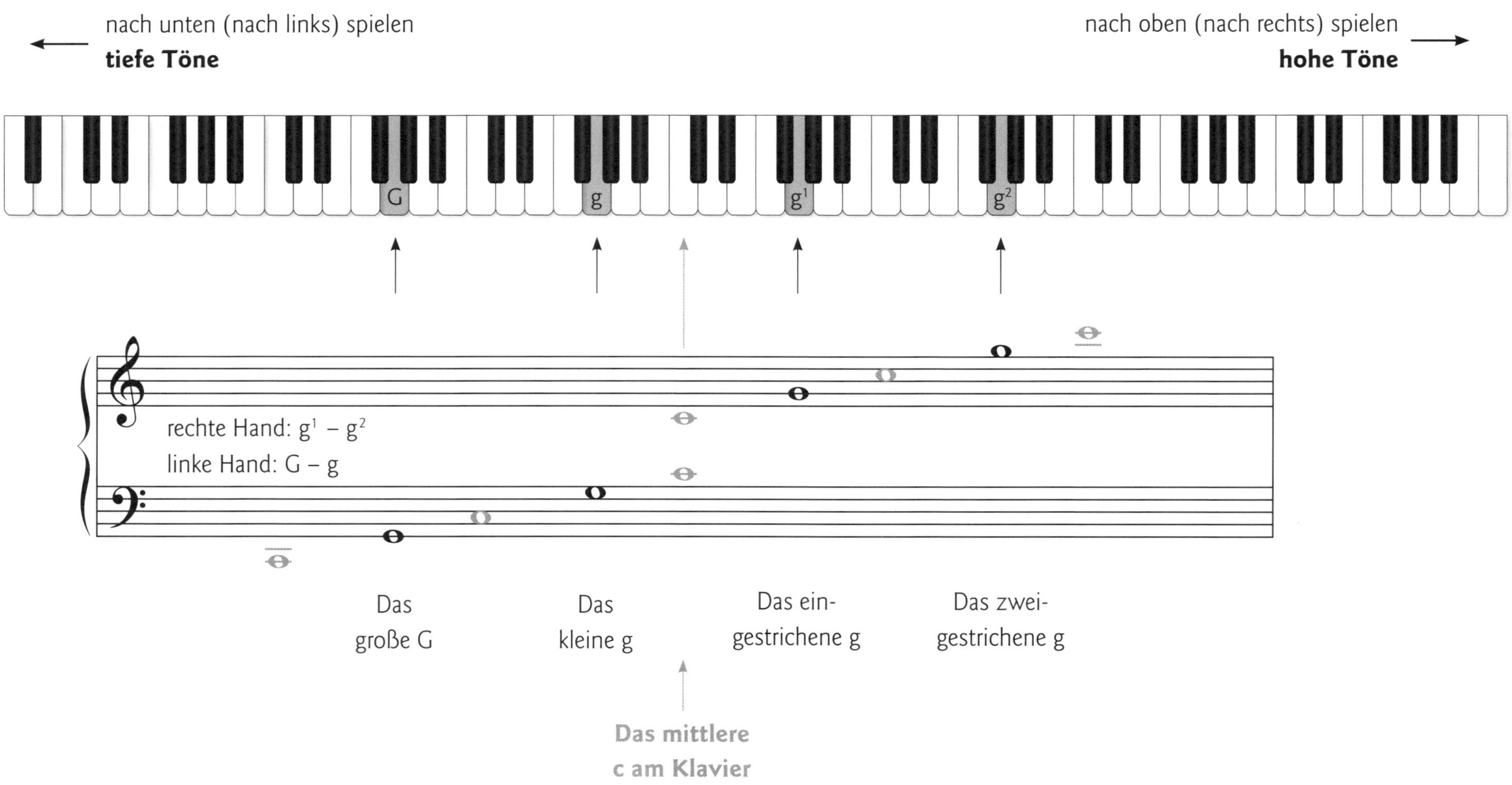

← nach unten (nach links) spielen
tiefe Töne

nach oben (nach rechts) spielen →
hohe Töne

G g g^1 g^2

rechte Hand: $g^1 – g^2$
linke Hand: G – g

Das große G

Das kleine g

Das ein-gestrichene g

Das zwei-gestrichene g

Das mittlere c am Klavier

2.2 Die Note G im Violinschlüssel: g^1 - g^2

(das ein- und zweigestrichene g)

Rechte Hand: mit dem richtigen Finger die G-Noten auf der Tastatur finden ...

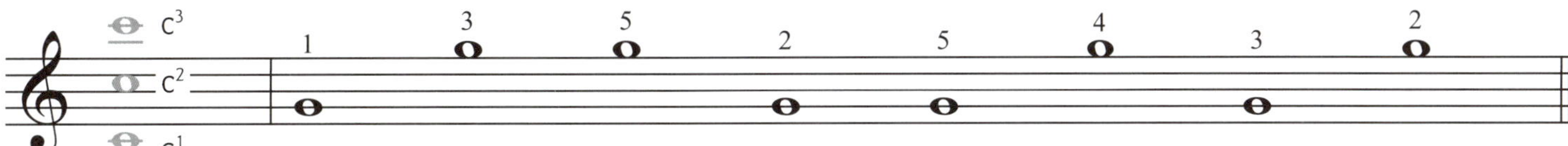

Jeweils mit dem angegebenen Finger die richtige G-Note spielen und dann noch eine Minimelodie hinterher ...

Minimelodien

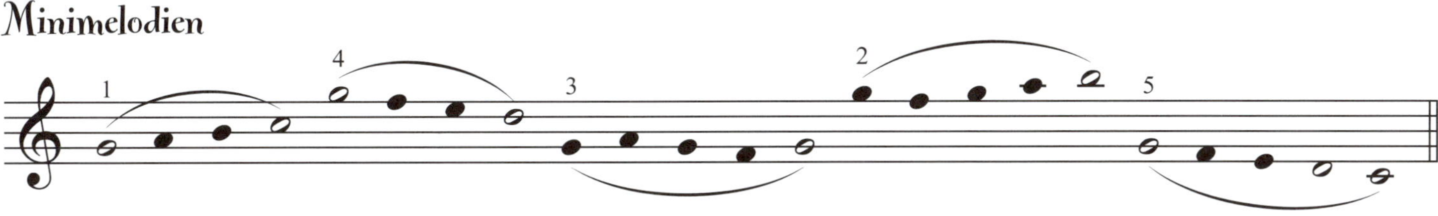

2.3 Die Note G im Bassschlüssel: G - g

(das große G und das kleine g)

Linke Hand: mit dem richtigen Finger die G-Noten auf der Tastatur finden ...

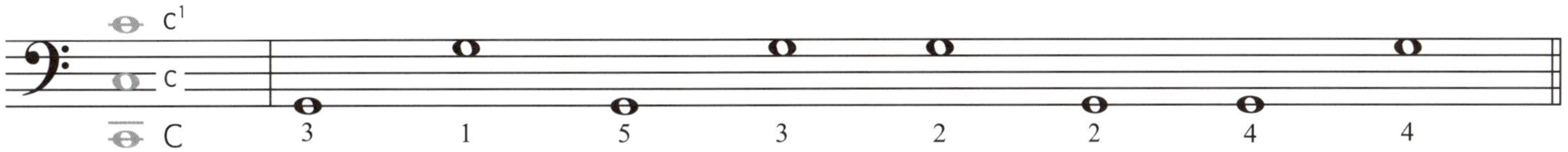

Jeweils mit dem angegebenen Finger die richtige G-Note spielen und dann noch eine Minimelodie hinterher ...

Minimelodien

Nun bitte noch mal die Minimelodien im Violinschlüssel, danach die im Bassschlüssel spielen und die Notennamen mitsprechen.

Kontrolle zum Mitlesen (Eltern)

𝄞 g-a-h-c / g-f-e-d / g-a-g-f-g / g-f-g-a-h / g-f-e-d-c

𝄢 g-f-e-f-g-f / g-f-g-a-h-a / g-a-g-f-e-d / g-a-h-c

2.4 Abwechselnd mit beiden Händen

❗ Bei diesem Zeichen aufpassen: kein G!

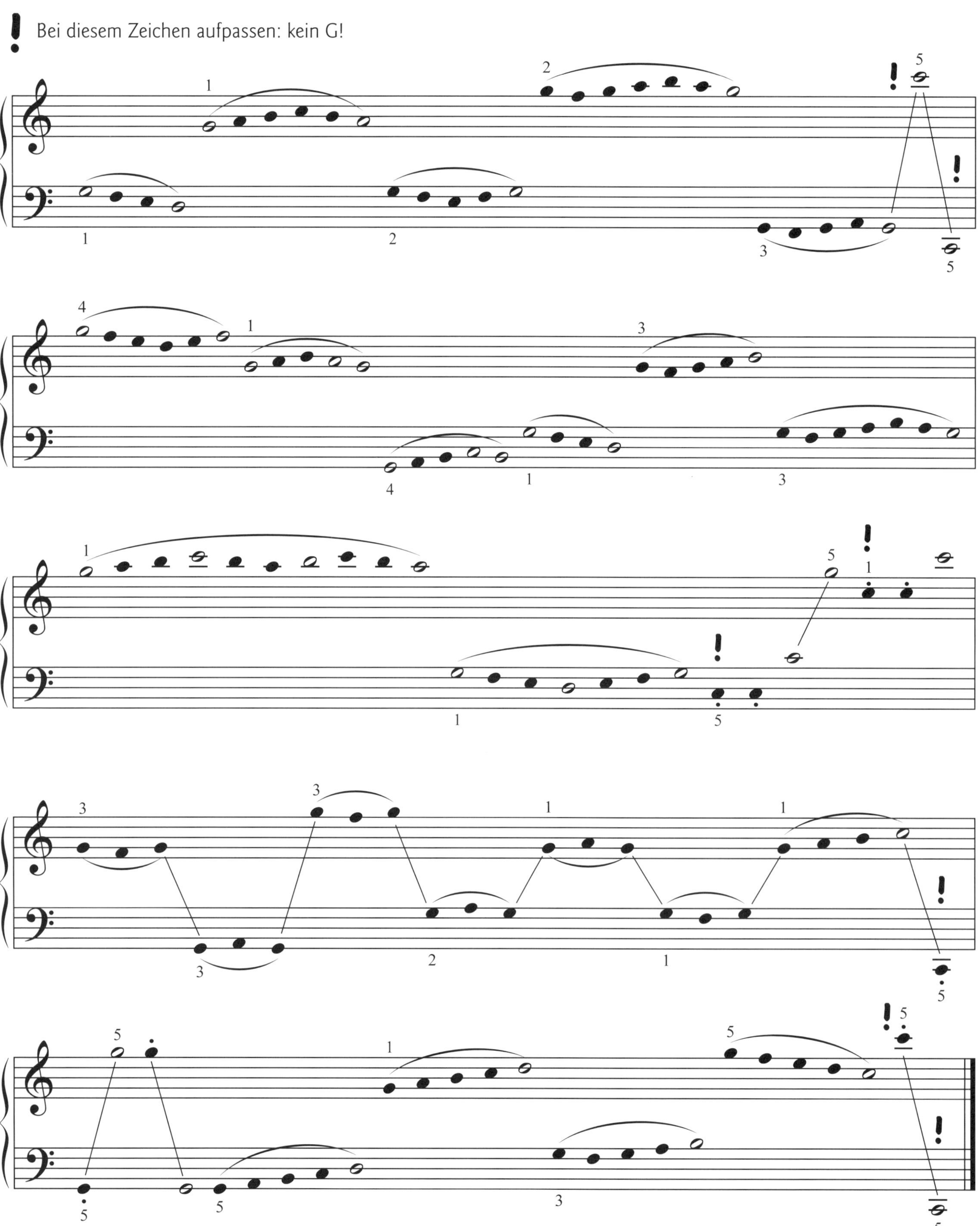

Hier die Notennamen wieder mitsprechen (Kontrolle unten).

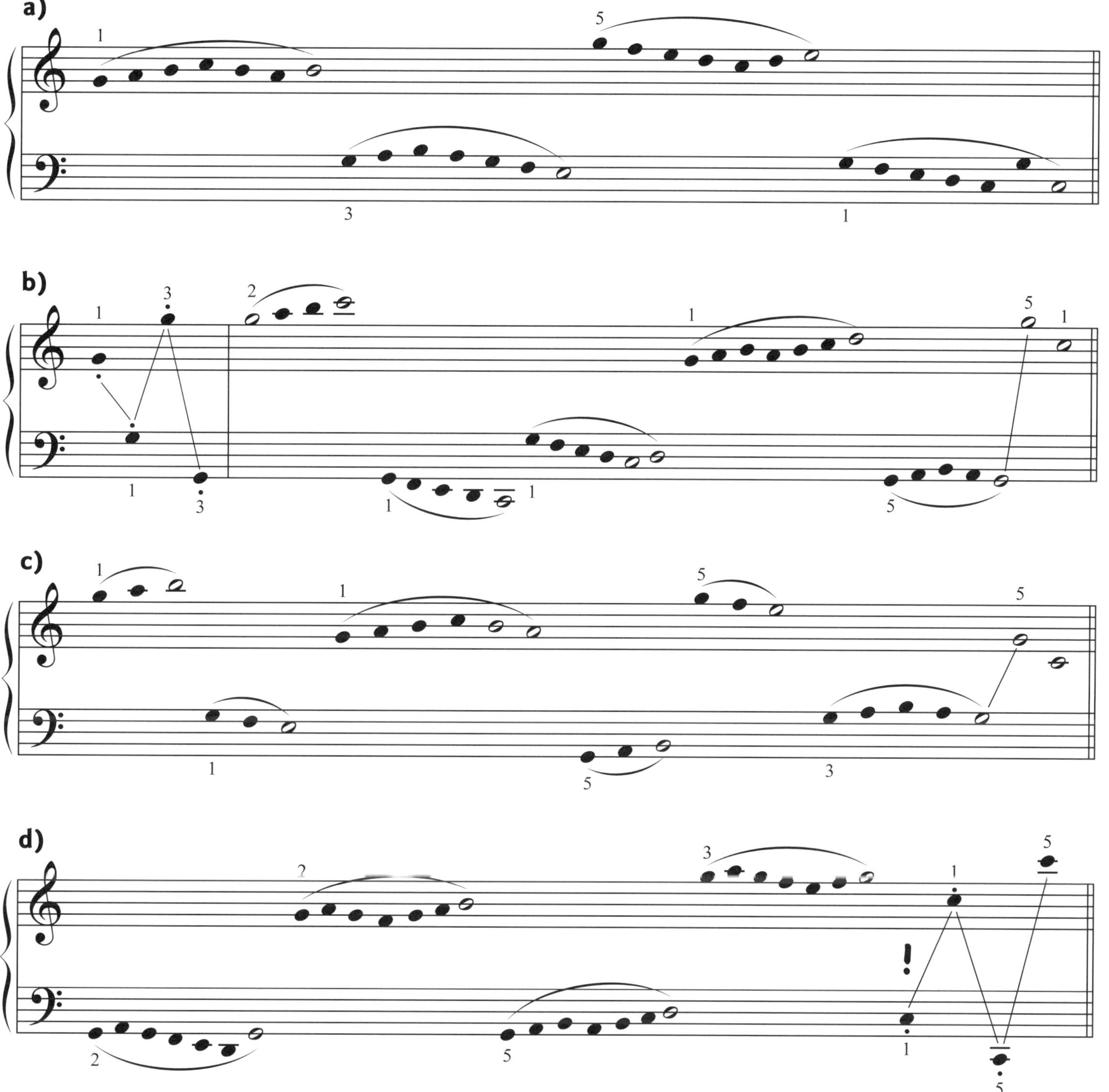

Kontrolle zum Mitlesen (Eltern)

a) g-a-h-c-h-a-h / g-a-h-a-g-f-e / g-f-e-d-c-d-e / g-f-e-d-c-g-c

b) g-g-g-g / g-a-h-c / g-f-e-d-c / g-f-e-d-c-d / g-a-h-a-h-c-d / g-a-h-a-g / g-c

c) g-a-h / g-f-e / g-a-h-c-h-a / g-a-h / g-f-e / g-a-h-a-g / g-c

d) g-a-g-f-e-d-g / g-a-g-f-g-a-h / g-a-h-a-h-c-d / g-a-g-f-e-f-g / c-c-c-c

2.5 Notenrätsel

Finde alle G-Noten und markiere sie farblich. Was erkennst du?
Vorsicht: Die oberen sechs Notenzeilen sind im Violinschlüssel, die unteren im Bassschlüssel geschrieben!

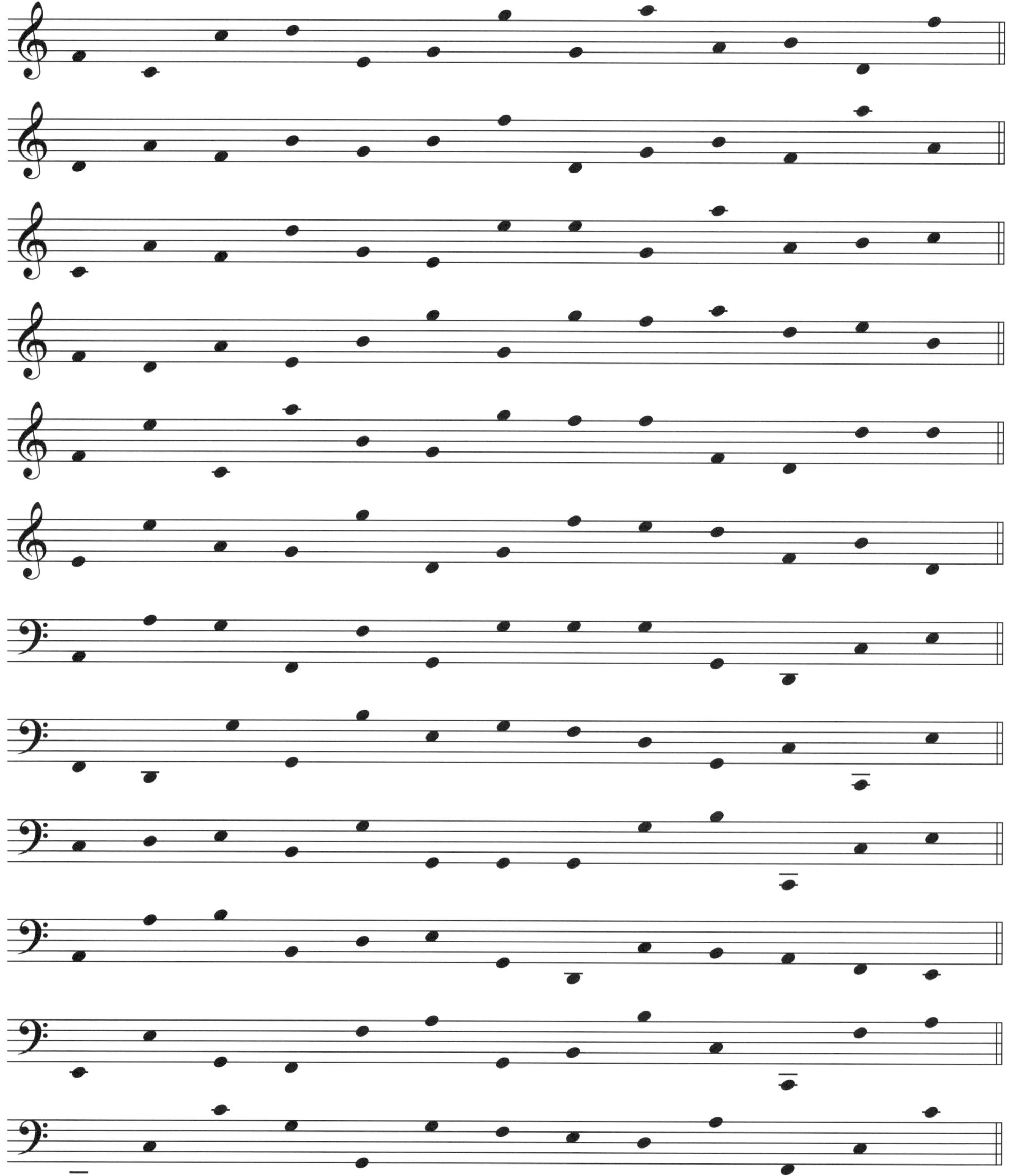

2.6 Rhythmustraining 2

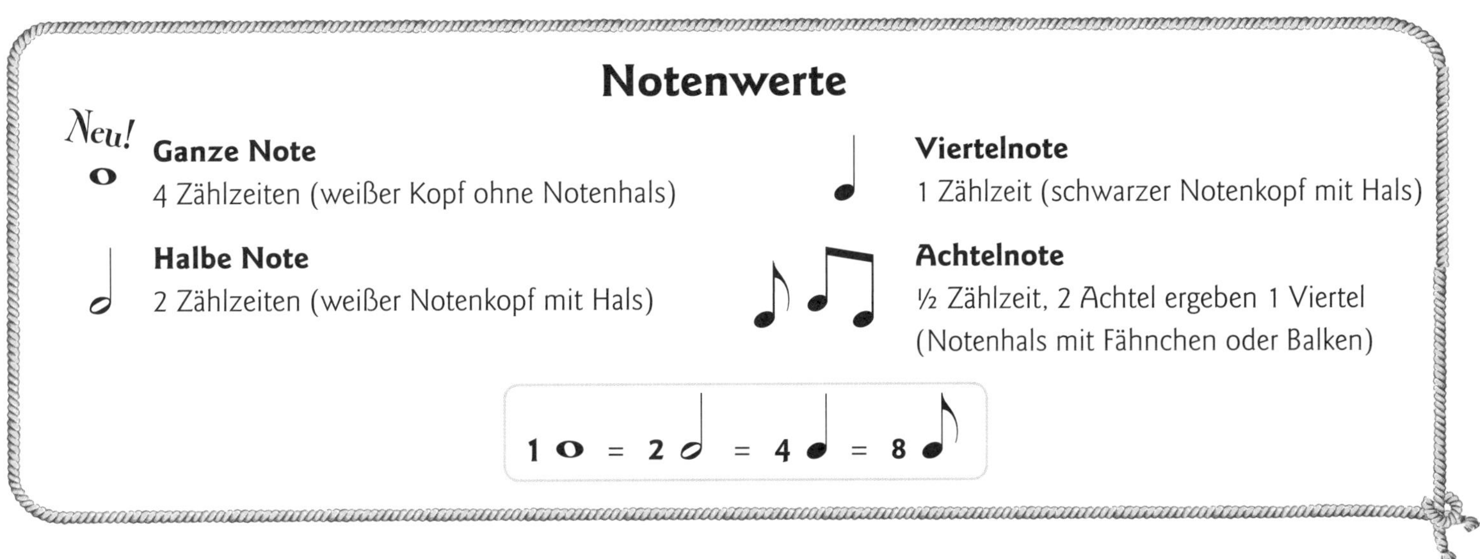

Notenwerte

Neu!

Ganze Note
4 Zählzeiten (weißer Kopf ohne Notenhals)

Halbe Note
2 Zählzeiten (weißer Notenkopf mit Hals)

Viertelnote
1 Zählzeit (schwarzer Notenkopf mit Hals)

Achtelnote
½ Zählzeit, 2 Achtel ergeben 1 Viertel (Notenhals mit Fähnchen oder Balken)

1 = 2 = 4 = 8

Die folgenden Übungen mehrmals klopfen und – wenn möglich – wieder laut den Takt zählen.
Und unbedingt immer einen ganzen Takt vorauszählen, um das Tempo festzulegen.

Zählzeiten, auf denen „nichts passiert“, also keine neue Note erscheint, werden ab jetzt eingeklammert.

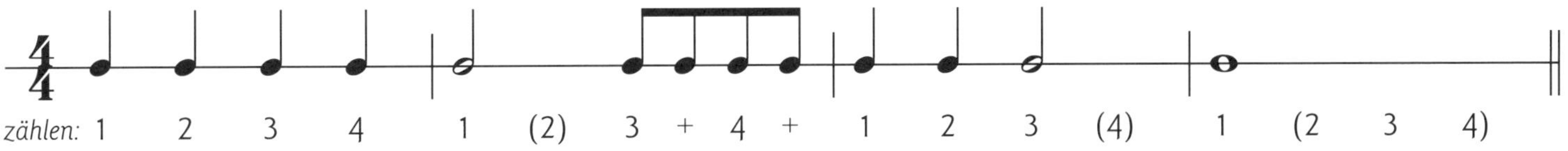

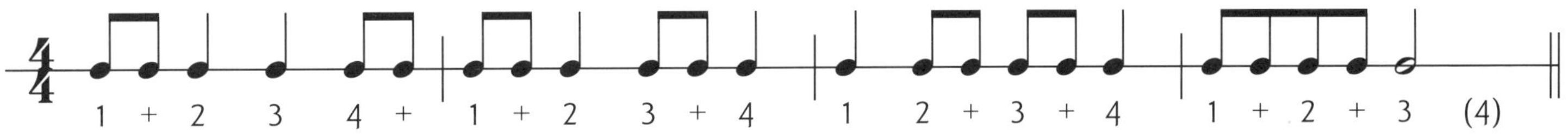

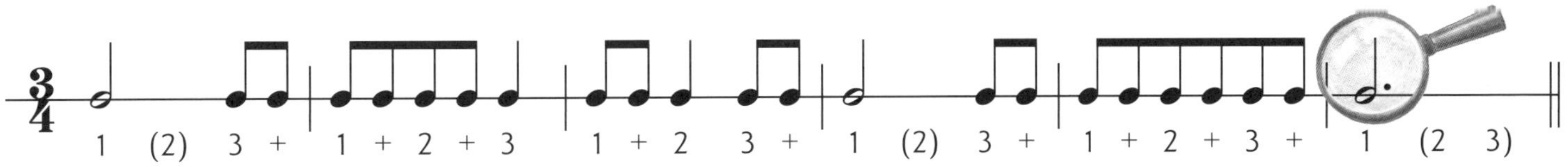

zählen: 1 2 3 4 | 1 (2) 3 + 4 + | 1 2 3 (4) | 1 (2 3 4)

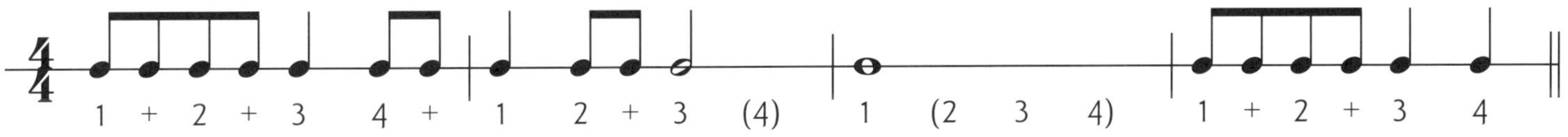

1 + 2 + 3 4 + | 1 2 + 3 (4) | 1 (2 3 4) | 1 + 2 + 3 4

1 + 2 3 4 + | 1 + 2 3 + 4 | 1 2 + 3 + 4 | 1 + 2 + 3 (4)

1 (2) 3 + | 1 + 2 + 3 | 1 + 2 3 + | 1 (2) 3 + | 1 + 2 + 3 + | 1 (2 3)

Eine punktierte halbe Note: Sie wird durch den Punkt um 1 Viertel – also 1 Schlag – auf 3 Schläge verlängert.

1 2 + 3 | 1 2 (3) | 1 2 + 3 | (1 2) 3 | 1 + 2 + 3 + | 1 (2 3)

Der Haltebogen verbindet 2 Noten gleicher Tonhöhe zu einer langen Note. Man addiert beide Notenwerte, hier: 1 + 2 = 3

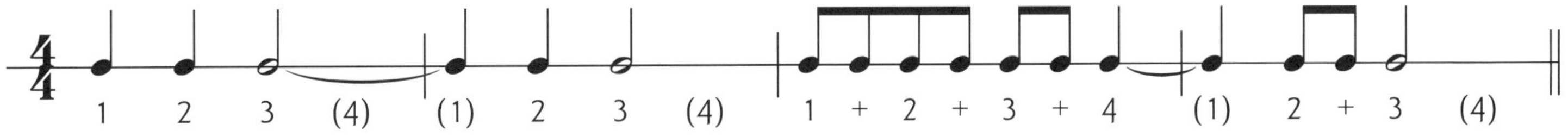

1 2 3 (4) | (1) 2 3 (4) | 1 + 2 + 3 + 4 | (1) 2 + 3 (4)

Die Note G in vier Oktaven

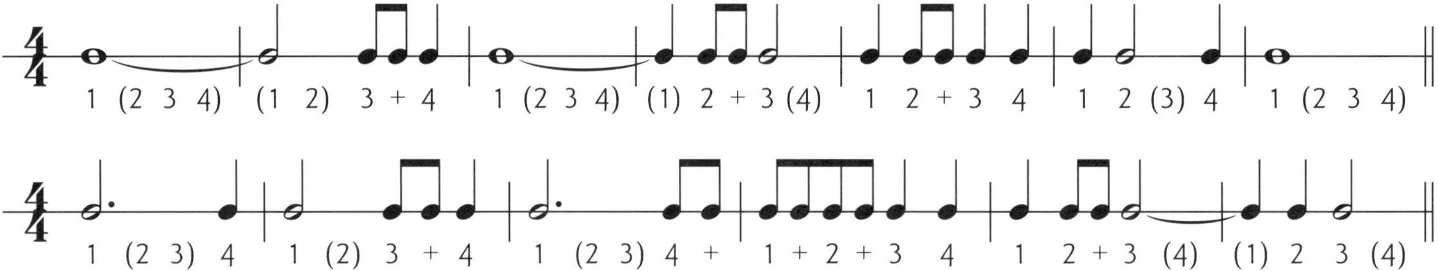

Synkopen

Eine Synkope ist eine rhythmische Schwerpunktverschiebung auf unbetonte Taktzeiten.
> ist ein Betonungszeichen: Die Note wird etwas lauter gespielt (geklopft).

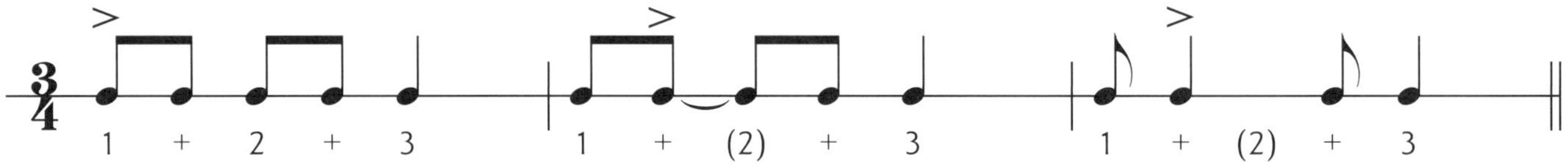

Häufig verschiebt sich der Schwerpunkt auf den Zwischenschlag (das „und" / +) – der folgende Hauptschlag fehlt dann meist. Verbinden wir die zweite und dritte Achtelnote zu einer Viertelnote, so ergibt sich der folgende Takt!

Übe alle Synkopentakte als Schleife (10 x wiederholen). Bei den rechten Takten gibt es nach der 1 nur noch Schläge auf der „und" / + !

kurz-lang - kurz-lang

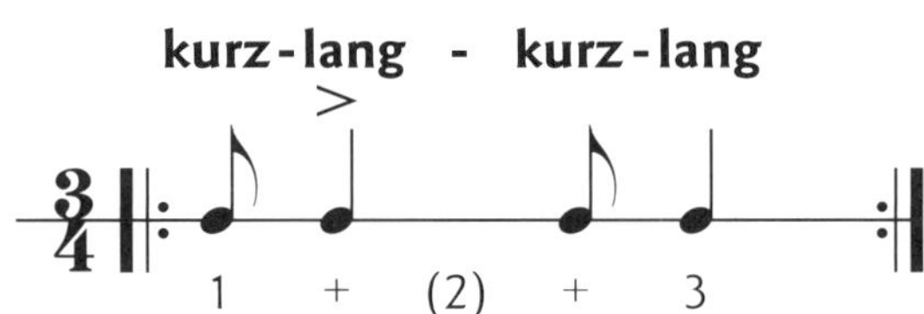

kurz-lang - lang - kurz

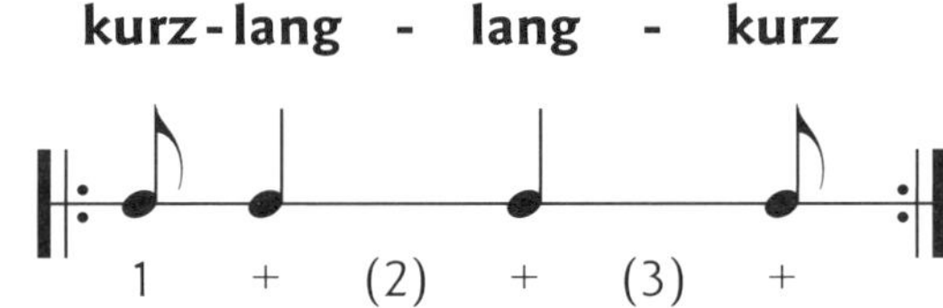

Und jetzt im 4/4-Takt:

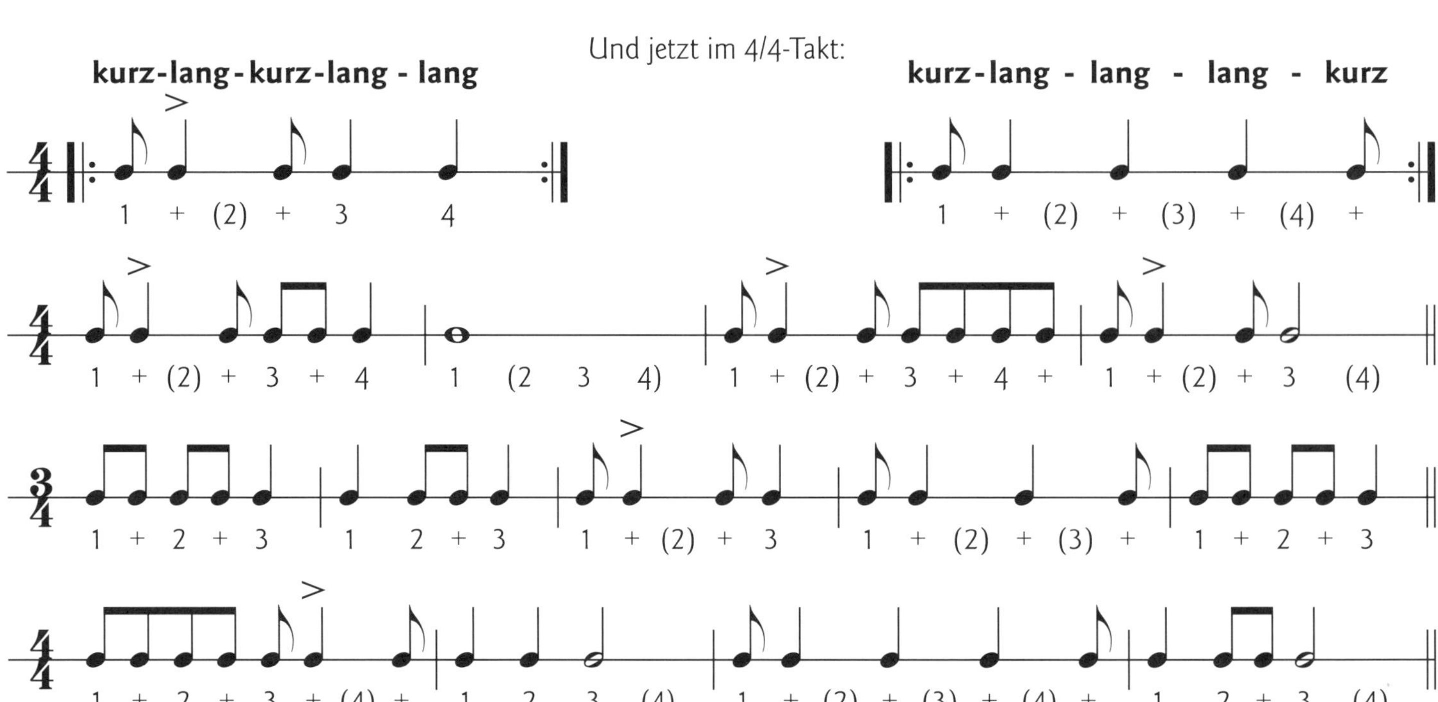

2.7 Melodien mit Rhythmus

Mögliche Vorübungen bitte in dieser Reihenfolge:

a) Den ersten Ton (c oder g) jeder Minimelodie mit dem richtigen Finger anschlagen.

b) Die Melodien langsam und ohne Rhythmus spielen.

c) Nur den Rhythmus mit der richtigen Hand klopfen.

Schneller Wechsel zwischen den Schlüsseln und Händen / leichte Synkopen

Aufpassen: Synkopen!

Beide Hände im flotten Wechsel

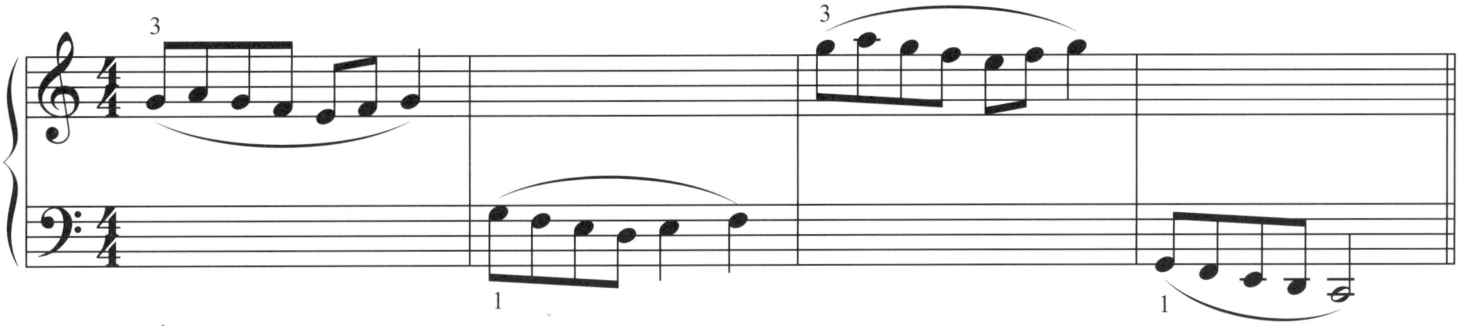

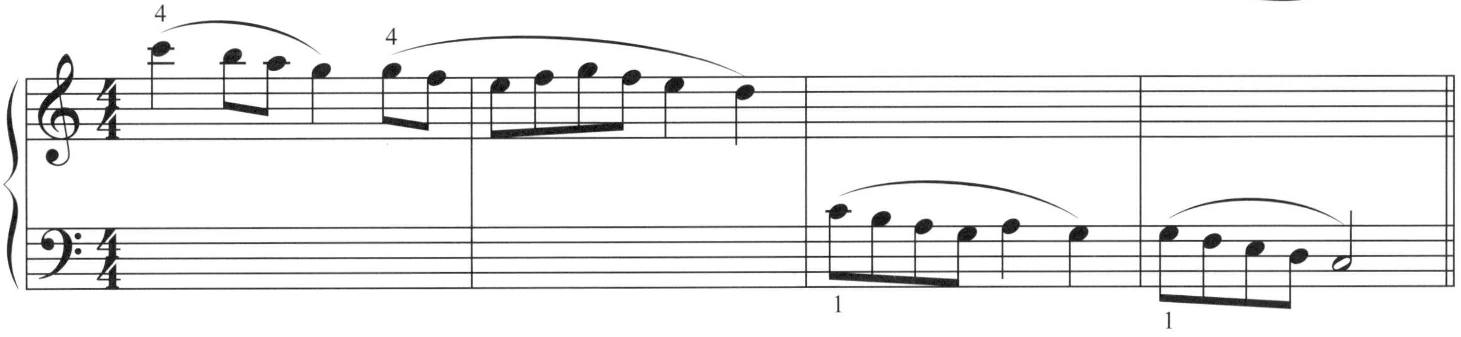

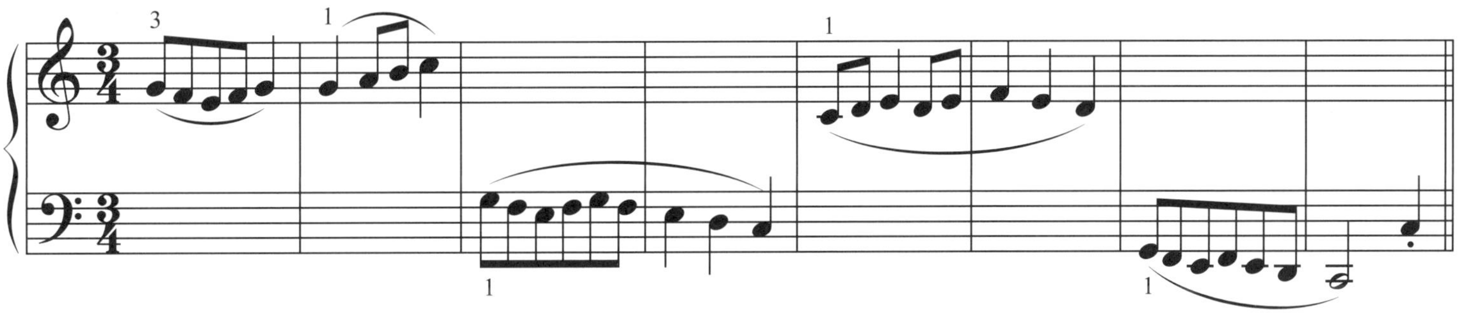

In den folgenden Übungen lassen wir einige Töne länger klingen, während die andere Hand schon weiterspielt. So erhalten wir unsere erste Mehrstimmigkeit.

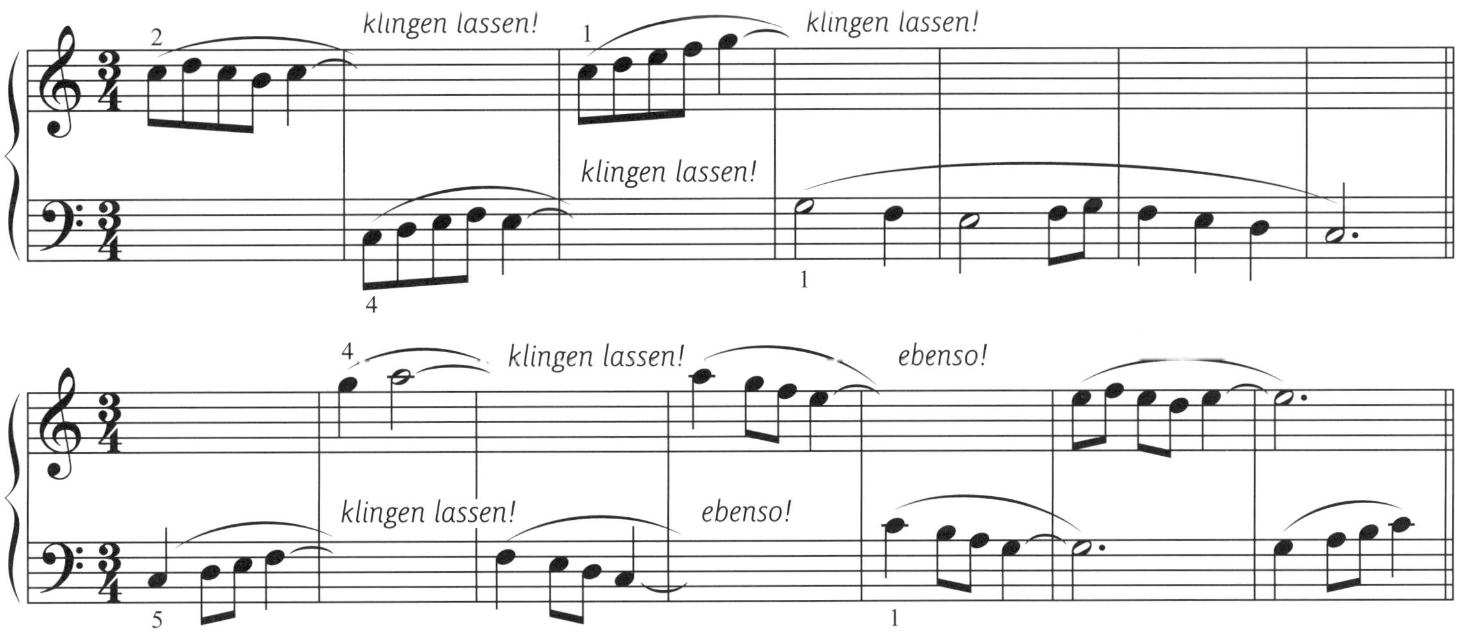

2.8 Zweihändige Übungen

3
5
HALBE PAUSE
Das Zeichen für eine halbe Pause (= 2 Schläge).
Der Balken liegt auf einer Linie.
d)
r. H.
l. H.
zählen: 1 (2) 3 (4) 1 2 3 (4) 1 2 3 4 1 2 3 (4) 1 2 3 (4) 1 2 3 4 1 2 3 4 1 2 3 (4)
5
5
e)
r. H.
l. H.
zählen: 1 2 3 4 + 1 2 3 4 1 2 + 3 4 1 2 3 4 1 2 + 3 4 + 1 (2 3 4)
5
1.
2.
5

2.9 Notenrätsel

Suche alle G-Noten und markiere sie farblich. Welches musikalische Zeichen erkennst du?
Vorsicht: Violin- und Bassschlüssel wechseln sich ab!

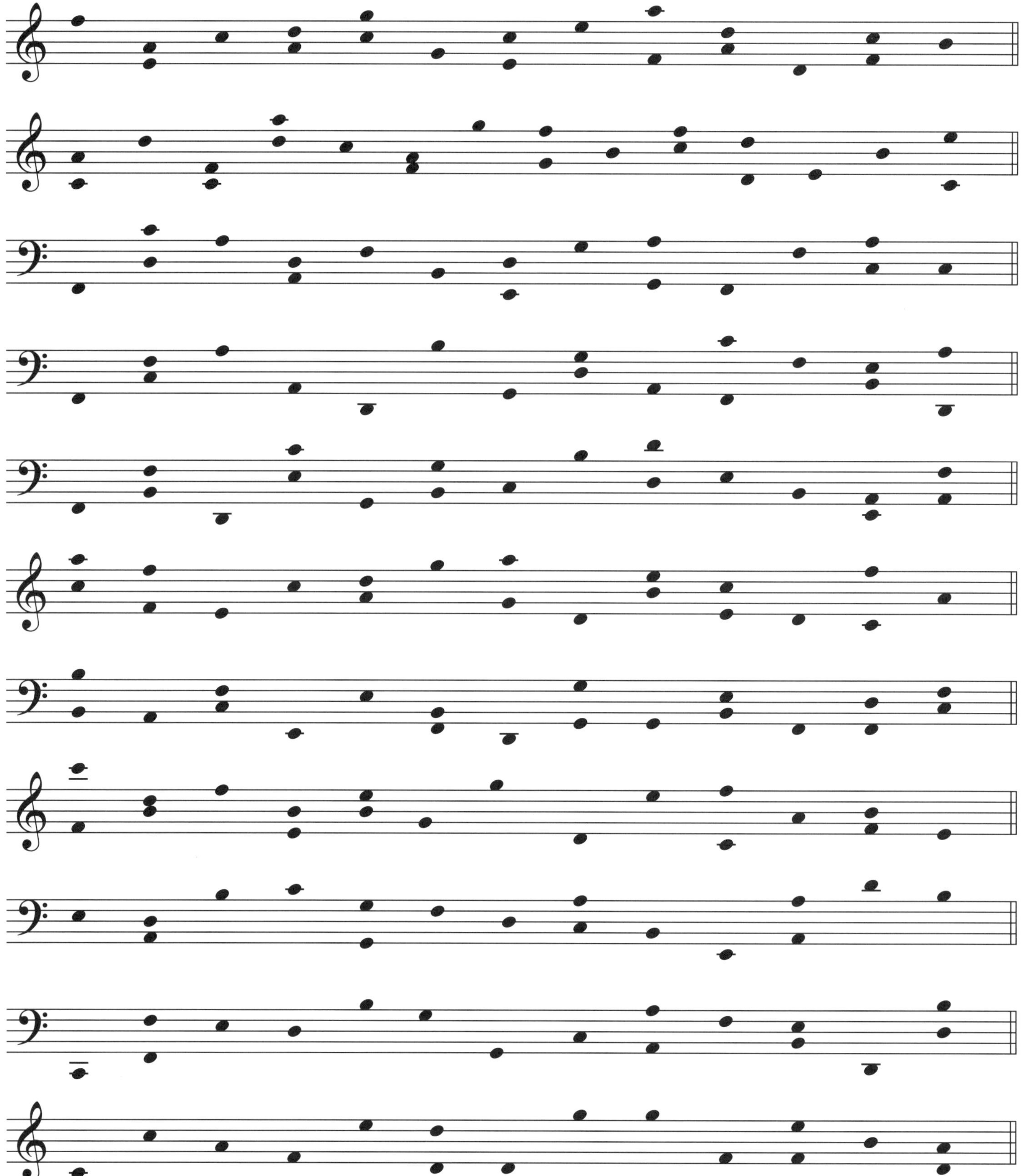

Intervalle 1 – Sekunden und Terzen

3

Intervalle sind Abstände zwischen zwei Tönen. Bisher haben wir Melodien gespielt, die, wie eine Tonleiter, immer aus „Nachbar"-Noten bestanden – nach oben (rechts) oder unten (links). Eine Tonleiter bewegt sich stets in **Sekunden** auf- und abwärts.

Man kann aber auch die „Nachbar"-Note überspringen und gleich den übernächsten Ton spielen: Diesen Abstand (dieses Intervall) nennen wir **Terz**.

Die Sekunde

2 Töne direkt nebeneinander / Stufe 1 → 2
ein Tonleiterintervall – „Nachbar"-Finger!

Die Terz

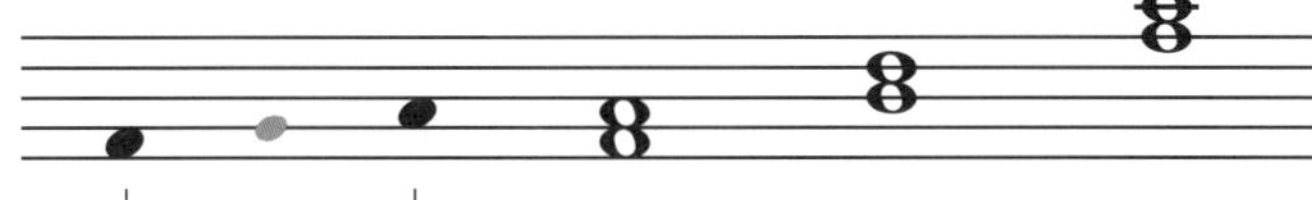

Abstand von einem Ton zum übernächsten / Stufe 1 → 3 / Linie → Linie (bzw. Zwischenraum)

Im Notenbild erkennen wir, dass sich bei Tonleitern Linie und Zwischenraum immer abwechseln. Eine Terz dagegen geht von einer Note auf einer Linie direkt zur nächsten Linie oder von einem Zwischenraum zum nächsten Zwischenraum.

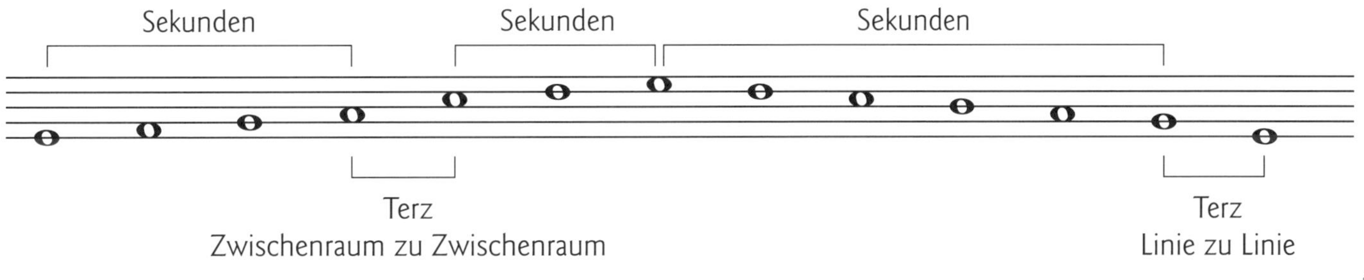

Wie viele Terzen findest du in den folgenden Zeilen?

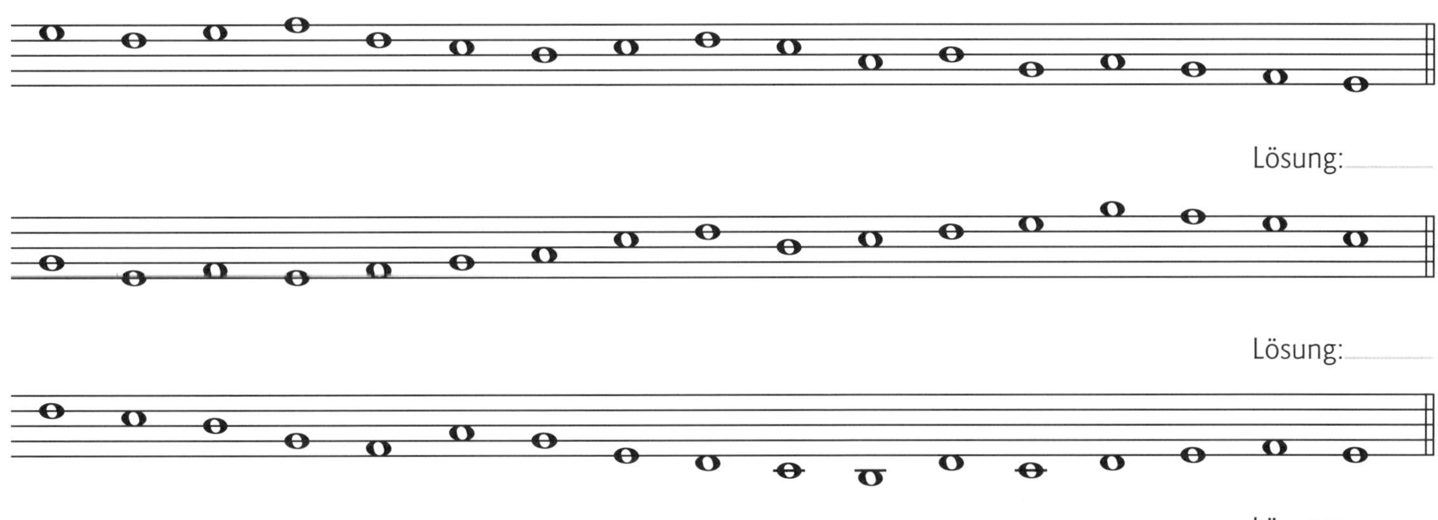

Wenn die Intervalle gleichzeitig gespielt werden, spricht man von harmonischen Intervallen. Spielt man sie nacheinander – wie in einer Melodie – dann nennt man das Intervall melodisch.

3.1 Terzen finden

Mit beiden Händen abwechselnd die folgenden Sekunden oder Terzen irgendwo am Klavier spielen und benennen. Die beiden Töne einer Sekunde schreibt man nebeneinander. Sie werden trotzdem zusammen angeschlagen.

Sekunden oder Terzen?

!!!
ohne genaue Tonhöhen

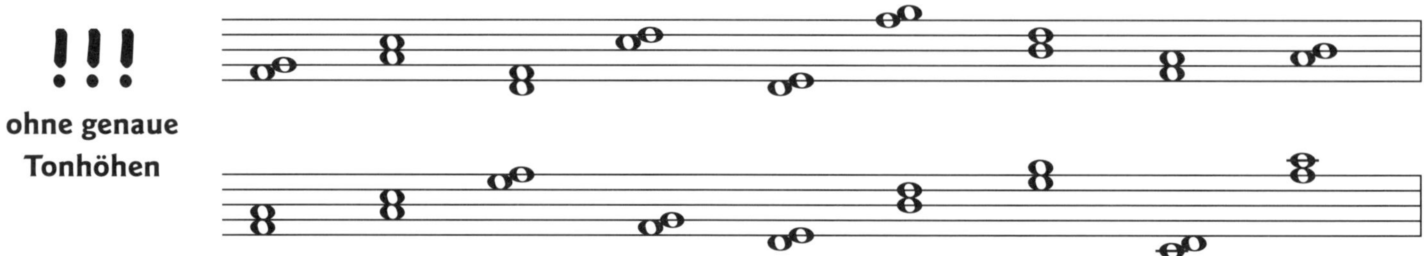

Vorübung: Abstände vom untersten und obersten Finger

rechte Hand Sekunden Terzen

linke Hand Sekunden Terzen

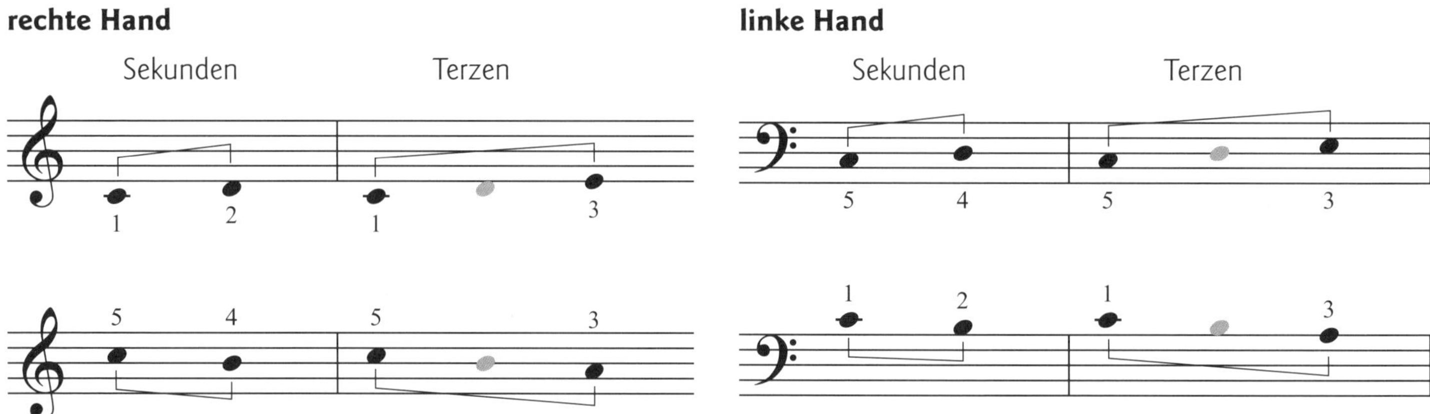

Mit beiden Händen abwechselnd diese melodischen Intervalle irgendwo am Klavier spielen. Dabei den Abstand wieder gut einschätzen und das Intervall benennen.

Sekunden und Terzen – direkt nebeneinander oder einen Ton ausgelassen?

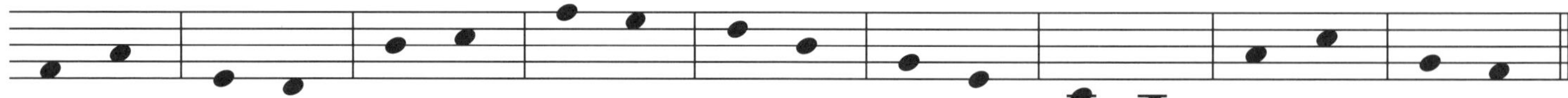

Kurze Wiederholung für unsere Anfangstöne: schnelles Finden der richtigen Lage!

linke Hand **rechte Hand**

Im Violinschlüssel mit konkreten Tonhöhen: Wähle immer geeignete Finger zum Anfangen aus, indem du schaust, wie weit es danach rauf oder runter geht.

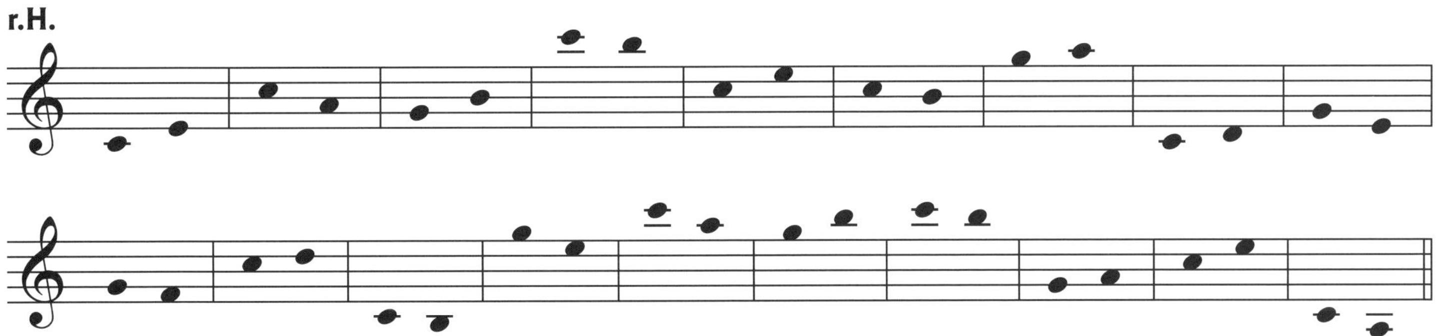

Und jetzt im Bassschlüssel mit der linken Hand ...

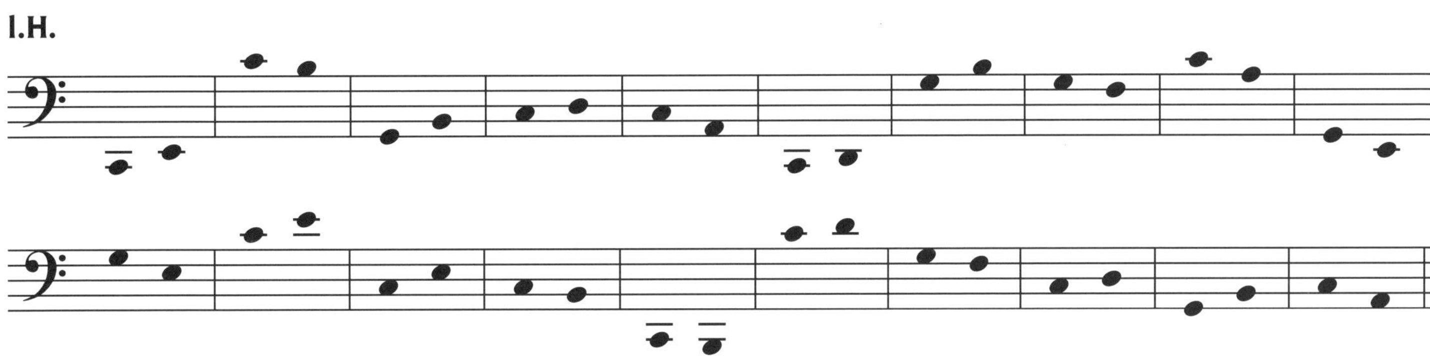

Tonleiter (Nachbarfinger) oder Terz?

Anfangstöne finden und den richtigen Finger nehmen – hier noch mit Markierung (Klammern) ...

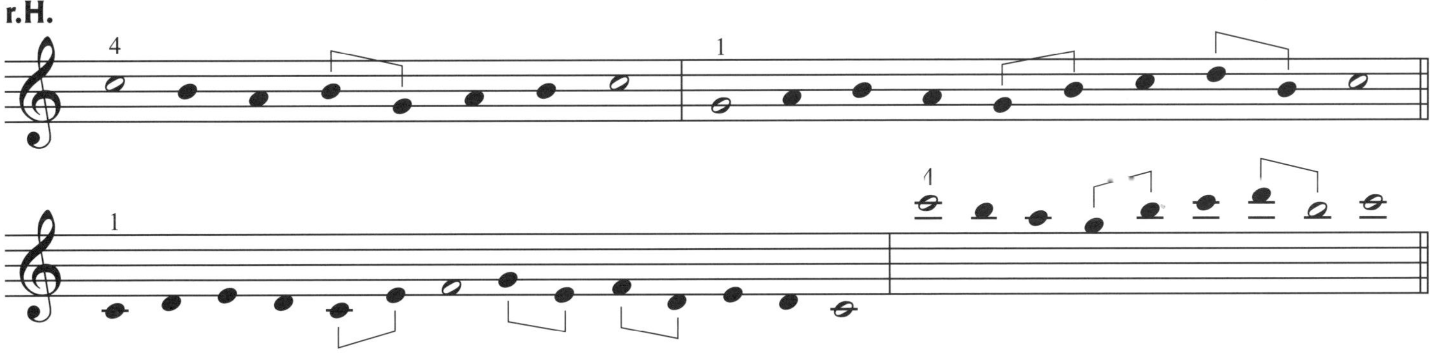

Und jetzt im Bassschlüssel, die Anfangstöne immer benennen.

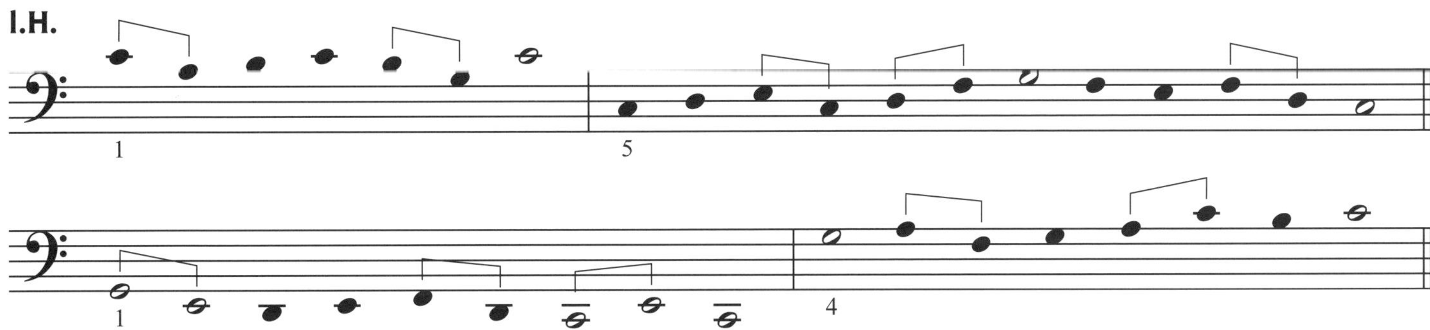

3.2 Abwechselnd mit beiden Händen

Bei den folgenden vier Übungen die Notennamen wieder mitsprechen.

Kontrolle zum Mitlesen (Eltern)

a) c-d-e-g-f-d / c-h-a-g-h-c / c-h-c-e-d-h-c
b) c-a-h-g-a-h-c / g-e-f-a-g-f-e / g-e-f-d-c-c
c) c-e-d-f-e-g-f-e-d / c-e-d-f-e-f-g / g-a-h-c / g-f-d-c
d) g-e-f-g-e-f-d-e-f-d / c-d-e-f-g-e-f-e-d / g-e-f-a-g-e-d / c-e-f-g-c

e)

Bei den Übungen f) und g) die Notennamen wieder mitsprechen.

f)

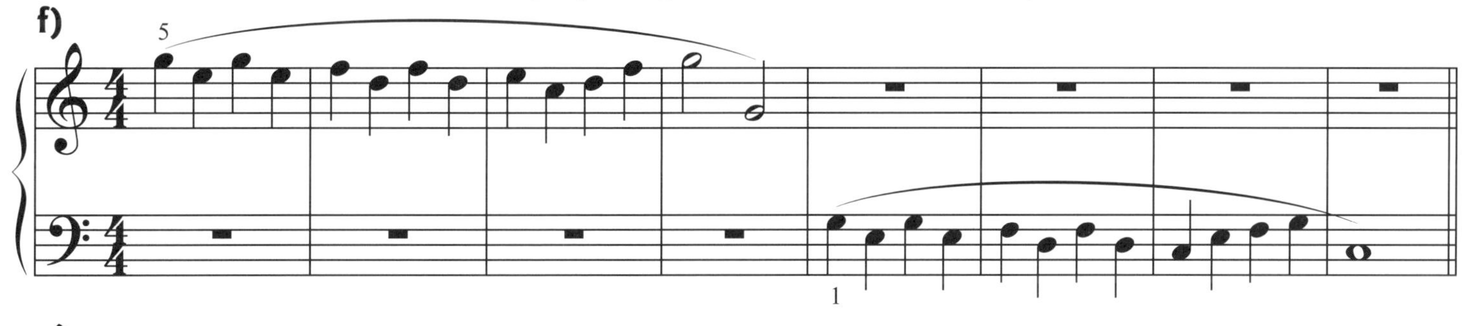

g)

Kontrolle zum Mitlesen (Eltern)

f) g-e-g-e-f-d-f-d-e-c-d-f-g-g / g-e-g-e-f-d-f-d-c-e-f-g-c

g) g-h-c-h-d-c-h-d-c-a-g-h / g-h-c-h-d-c-h-d-c-a-g-c

h)

Traurige Melodien

Die Notennamen wieder mitsprechen.

i)

k)

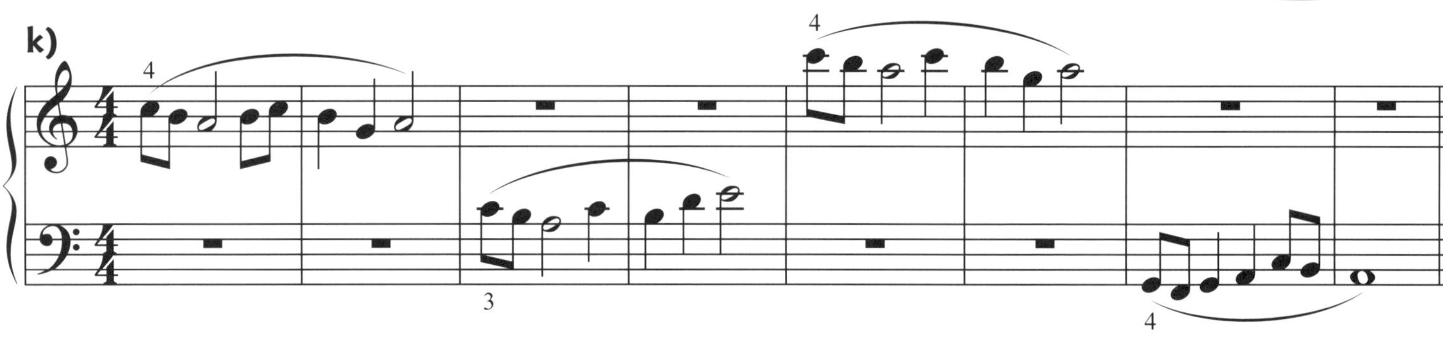

Kontrolle zum Mitlesen (Eltern)

i) c-e-d-c-h-c-a / c-h-a-h-c-d-e / c-e-d-c-h-a-h-c-d / c-h-c-d-c-h-a

j) g-a-h-a-g-a-f-e / g-a-h-a-g-a-h / g-a-h-g-a-f-g-a / g-a-h-a-f-e

k) c-h-a-h-c-h-g-a / c-h-a-c-h-d-e / c-h-a-c-h-g-a / g-f-g-a-c-h-a

l)

3.3 Bekannte Melodien

Erkennst du diese Melodien?

Versuche auch andere Melodien, die du gut kennst, am Klavier zu spielen.

3.4 Dreiklänge / Akkorde

Spielen wir zwei Terzen nacheinander nach oben oder unten, dann erhalten wir einen Dreiklang. Aufwärts kommt das z. B. am Beginn des Liedes „Hopp, hopp, hopp! Pferdchen, lauf Galopp“ vor. Abwärts kennen wir den Dreiklang in vielen Schulen als Pausengong.

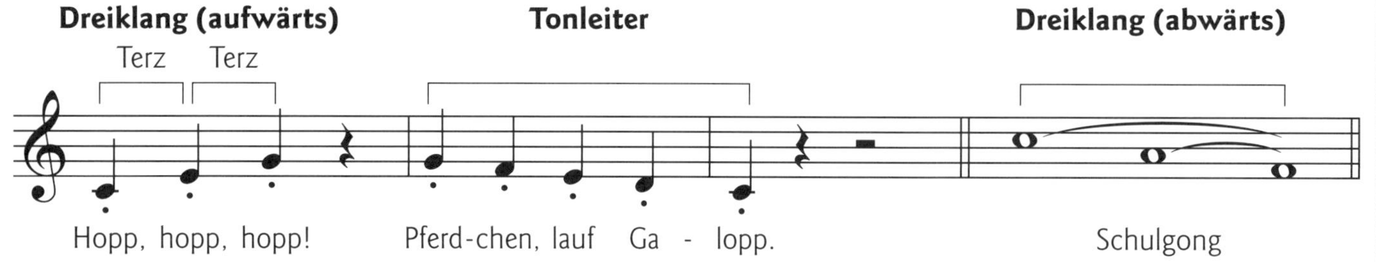

Die obigen zwei Akkorde klingen fröhlich / positiv / freudig. Sie heißen: **Dur-Dreiklänge**
Es gibt aber auch traurig klingende Akkorde. Diese heißen: **Moll-Dreiklänge**

Spielen und hören: Akkordexperiment

Alle drei Töne liegen/klingen lassen. Danach gleichzeitig anschlagen.

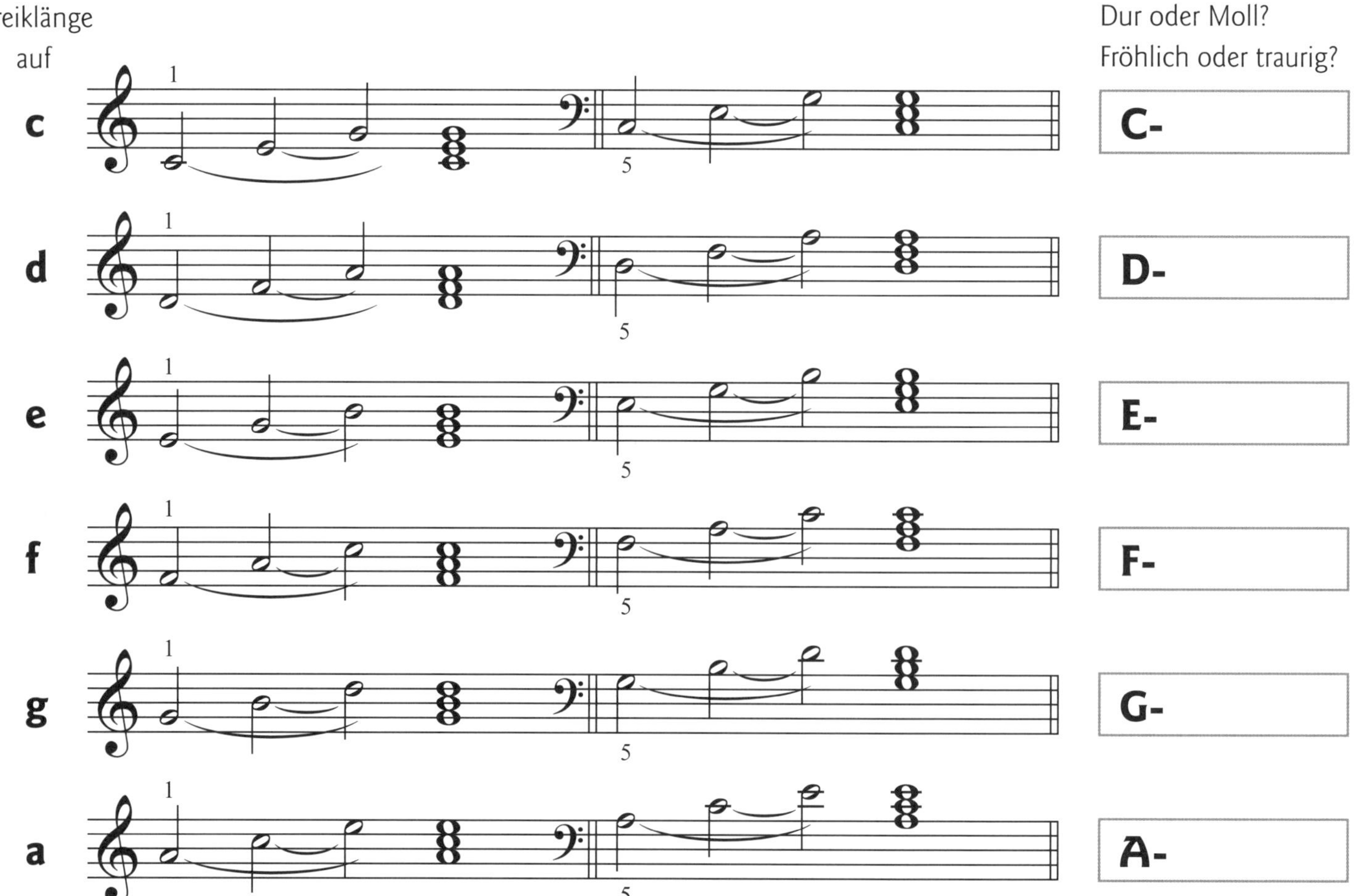

Spielt man einen Akkord auf dem Ton H, so ergibt sich ein ganz anderer Klang. Dieser „gefährlich“ klingende Akkord heißt „verminderter“ Dreiklang.

Dreiklangsübungen hinauf und hinunter (mit Umgreifen)

Kleine Melodien mit Dreiklängen (im Takt)

Mit beiden Händen

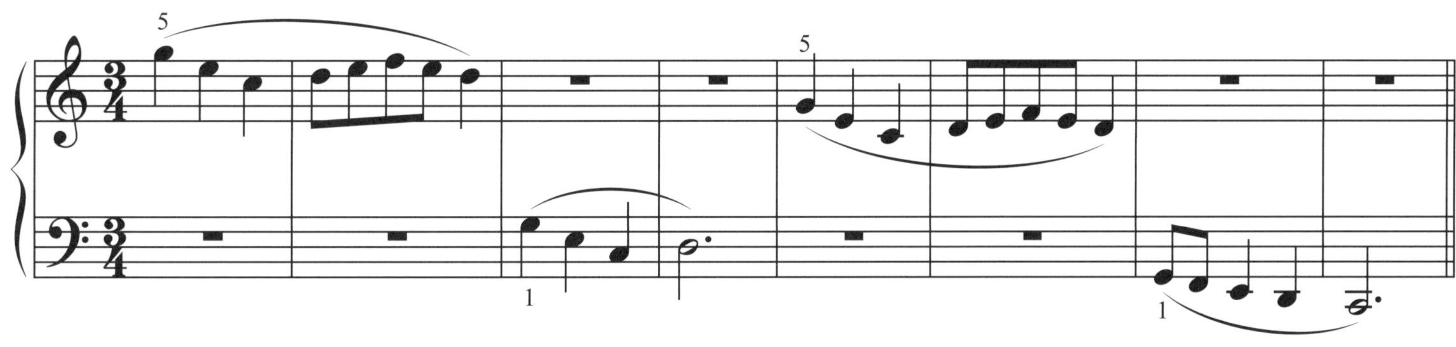

3.5 Zweihändige Stücke

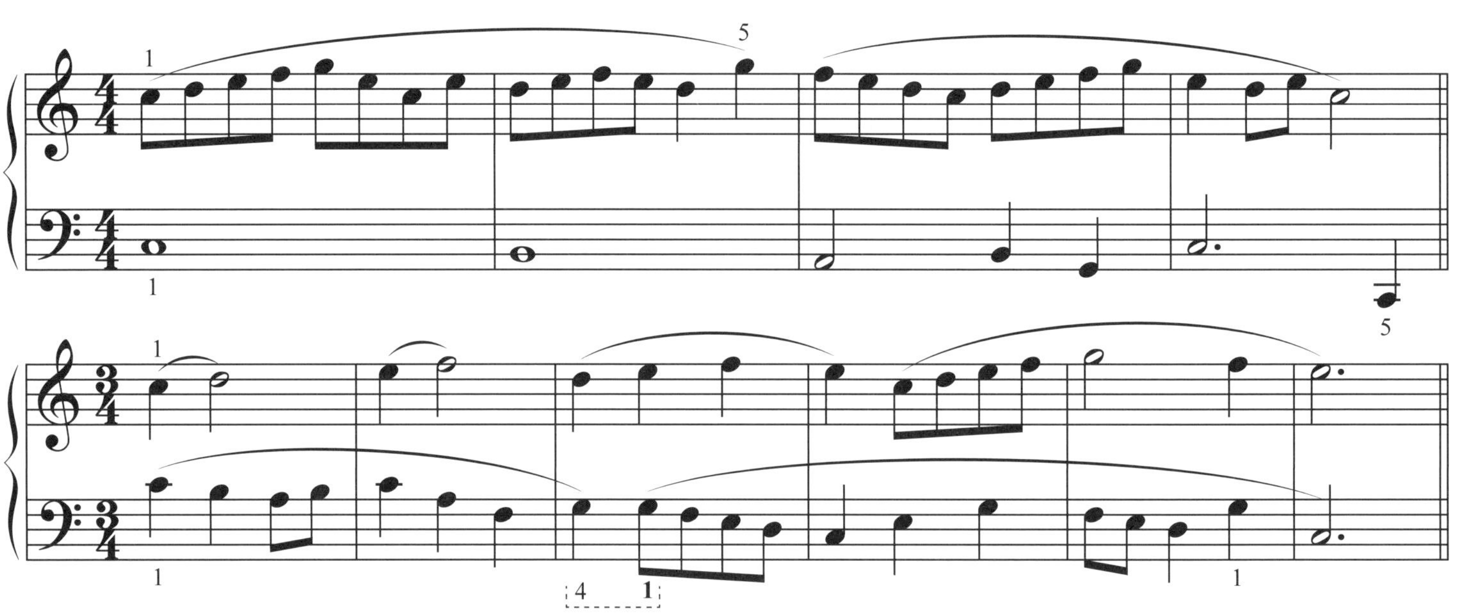

Kleine Akkordübung für die linke Hand

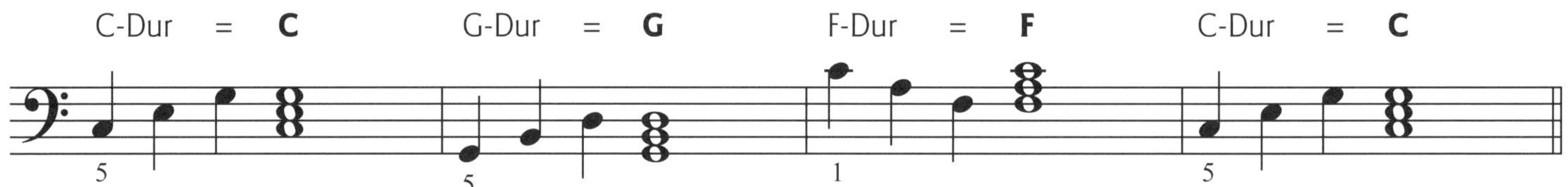

„O when the Saints" (Spiritual)

Als Vorübung kann man den Rhythmus mit beiden Händen erst mal klopfen.

*) Sind die Akkordwechsel noch zu schwer, dann anstatt der Viertelakkorde bitte Viertelpausen machen.
Hat die linke Hand Schwierigkeiten, drei Töne gleichzeitig zu spielen, dann bitte den mittleren Ton weglassen.

Intervalle 2 – Quarten und Quinten

4

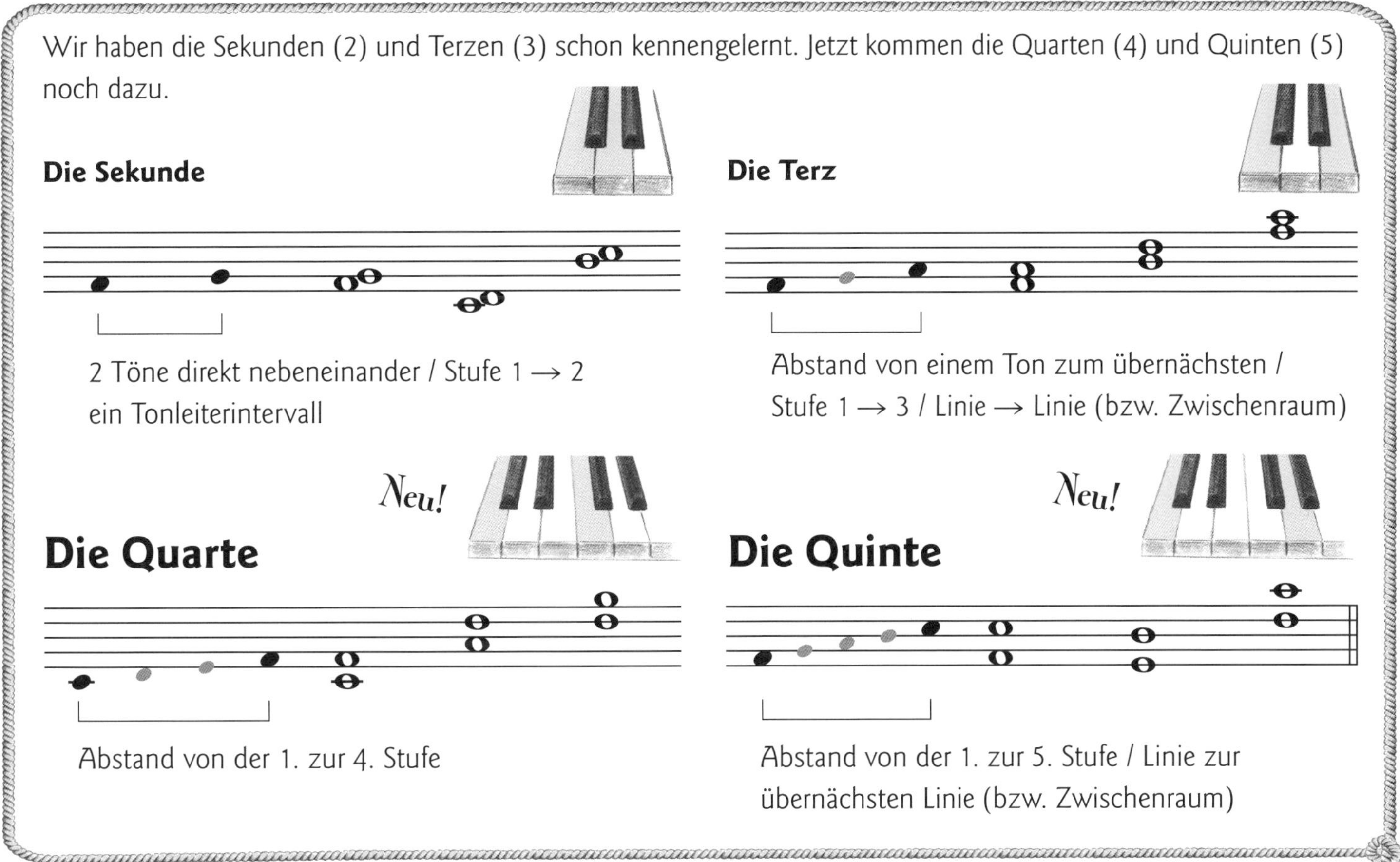

4.1 Vorübungen

Abstände vom untersten / obersten Finger

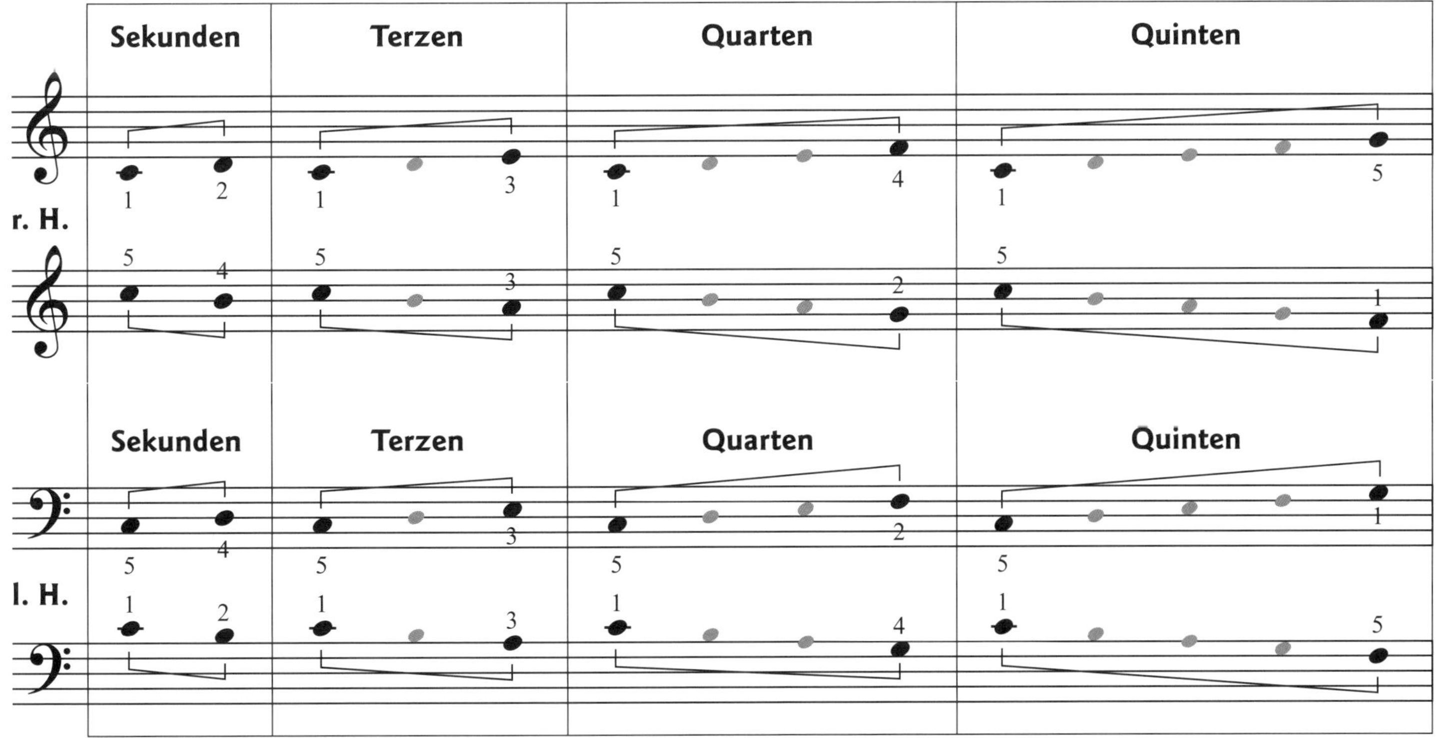

4.2 Intervalle harmonisch

(als Zusammenklang)

Terzen und Quinten im Vergleich

Terzen (3): Linie zur nächsten Linie oder Zwischenraum zum nächsten Zwischenraum
Quinten (5): Linie zur übernächsten Linie oder Zwischenraum zum übernächsten Zwischenraum

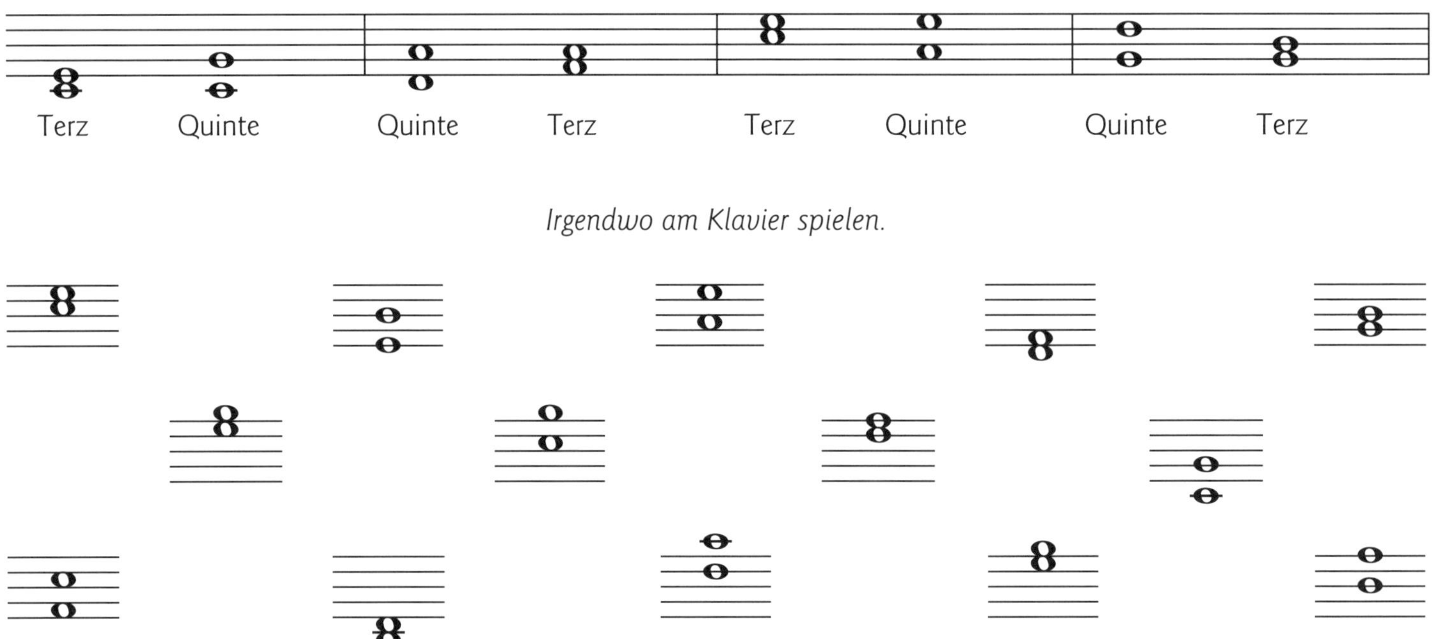

Sekunden und Quarten im Vergleich

Sekunden (2): die direkte Nachbarnote – Linie zum Zwischenraum oder Zwischenraum zur Linie
Quarten (4): Linie zum übernächsten Zwischenraum oder Zwischenraum zur übernächsten Linie

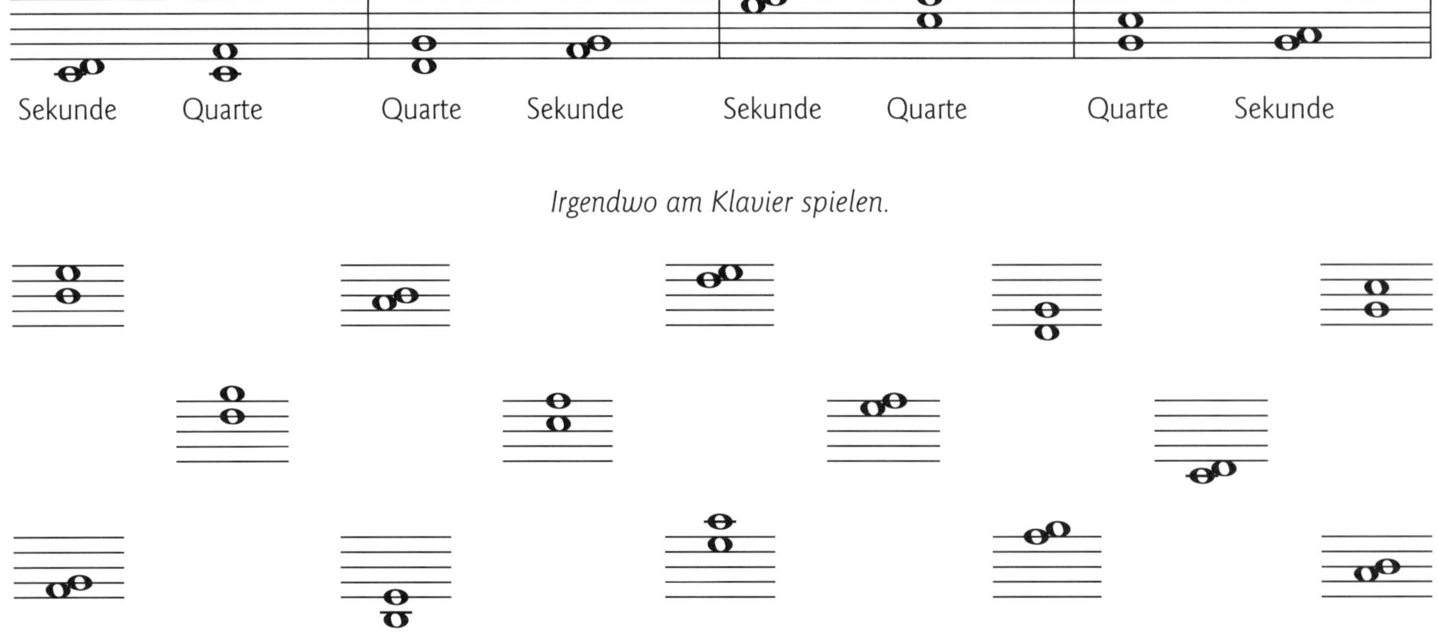

Quarten und Quinten im Vergleich

Quarten (4): Linie zum übernächsten Zwischenraum oder Zwischenraum zur übernächsten Linie
Quinten (5): Linie zur übernächsten Linie oder Zwischenraum zum übernächsten Zwischenraum

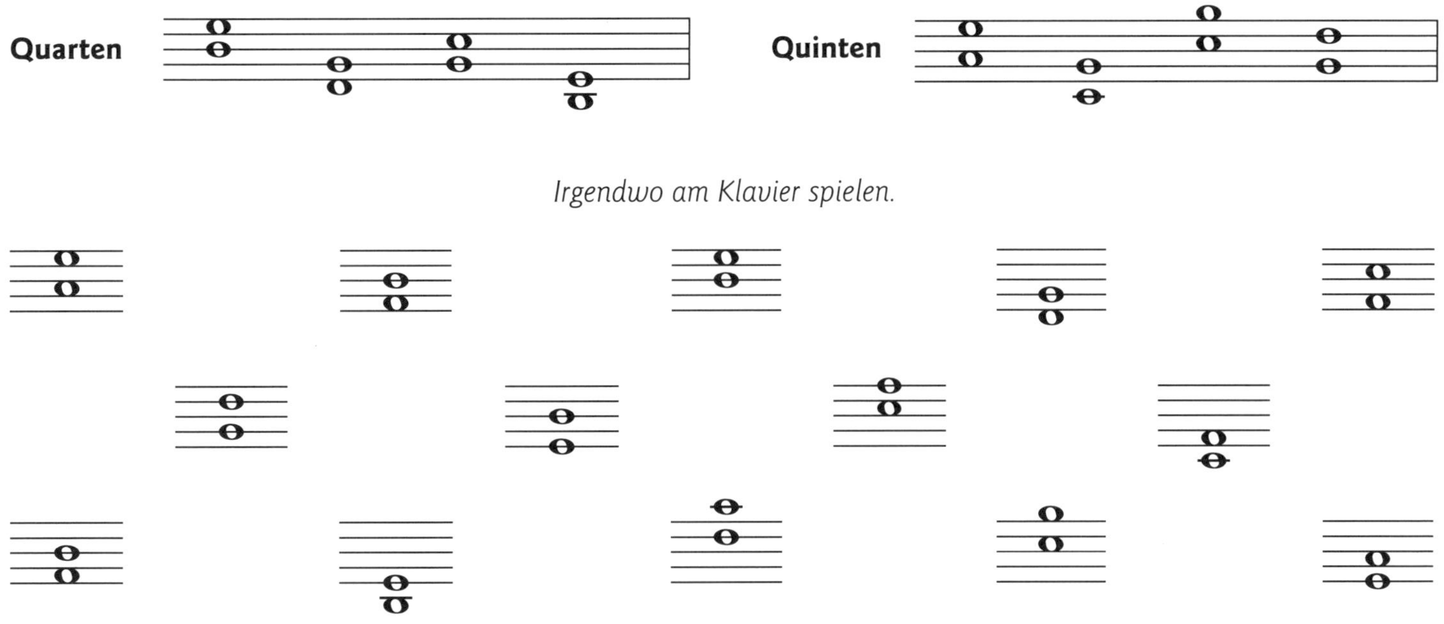

Alle Intervalle gemischt

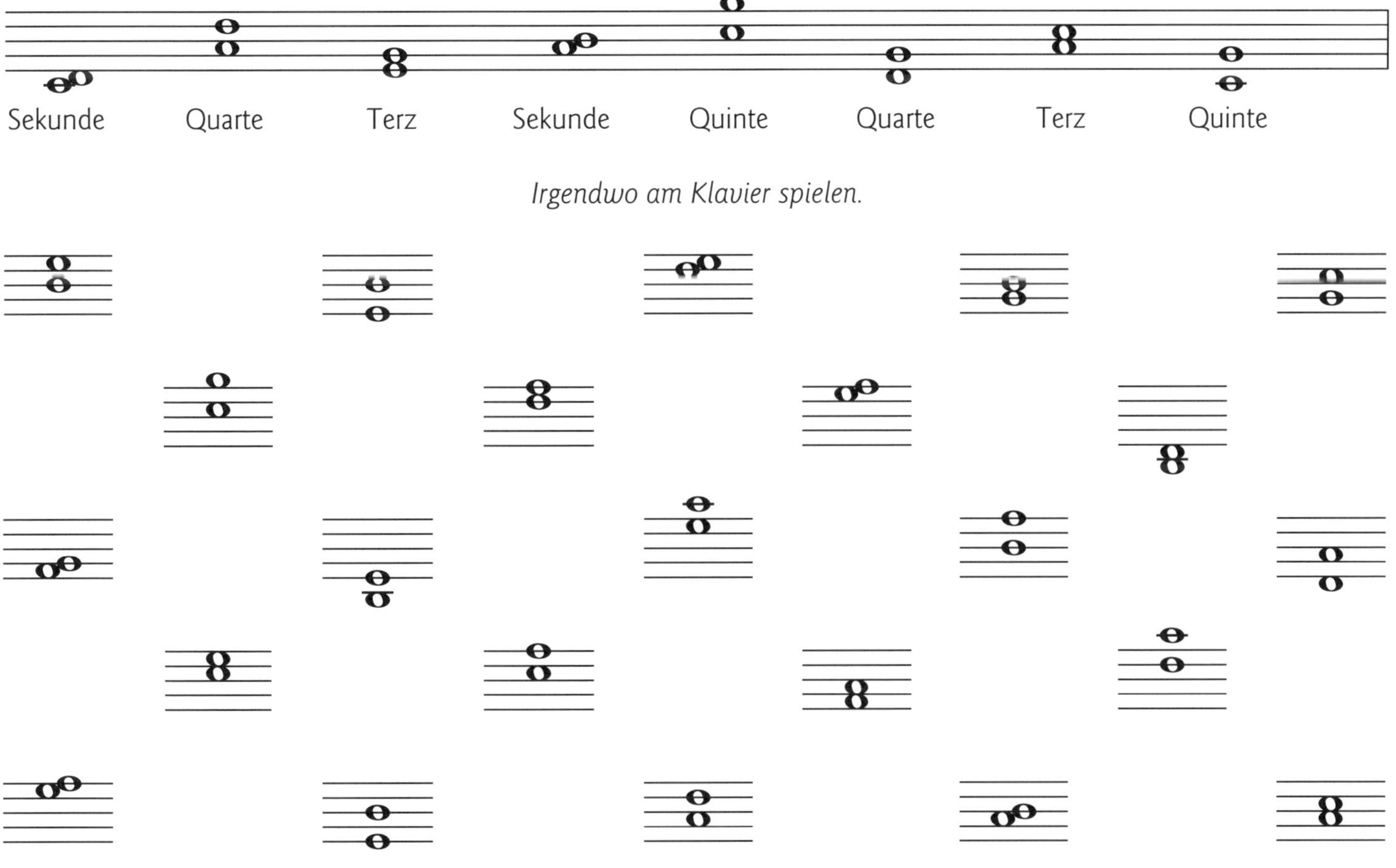

Jetzt mit genauen Tonhöhen

Die obere oder untere Note der folgenden Intervalle ist immer ein C oder G (unsere erlernten Orientierungsnoten: C, c, c[1], c[2], c[3] oder G, g, g[1], g[2]).

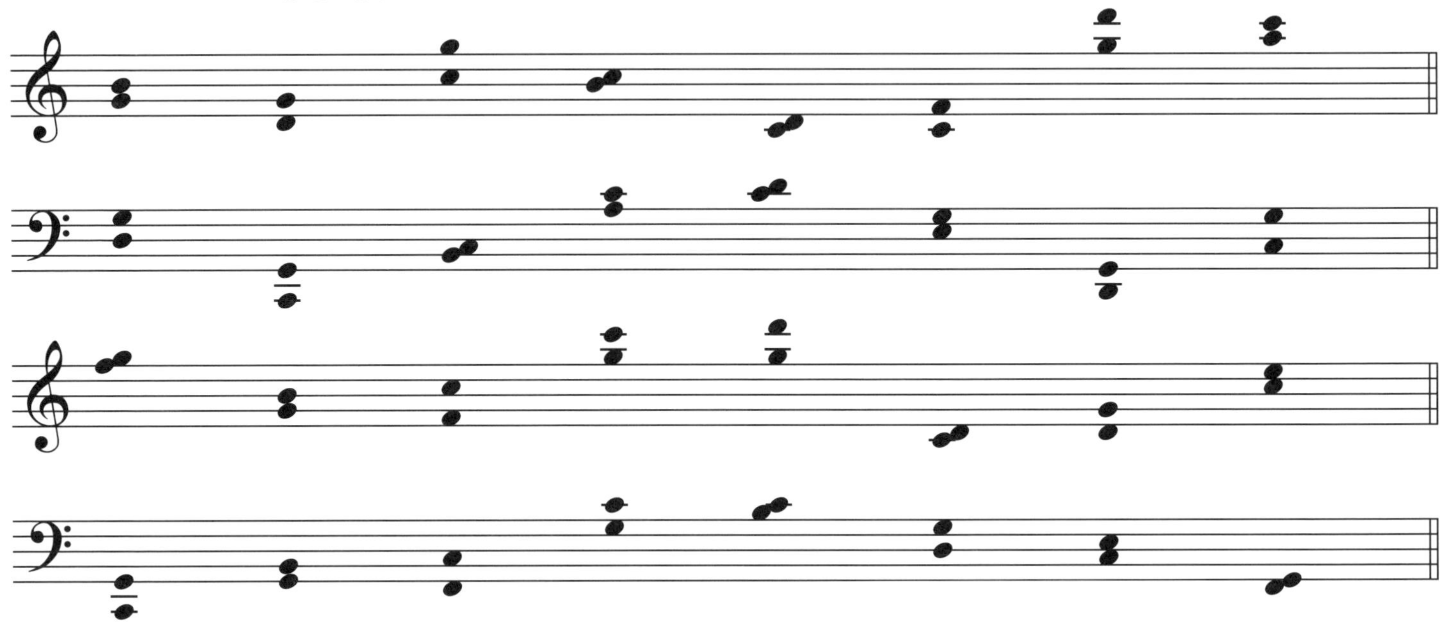

4.3 Intervalle melodisch

Finde und benenne alle Intervalle, die größer als Sekunden sind: Terzen (3), Quarten (4) oder Quinten (5)

Bsp.

Die vier Stellen (Sprünge) sind hier noch markiert (Lösung: 3 - 5 - 5 - 4).

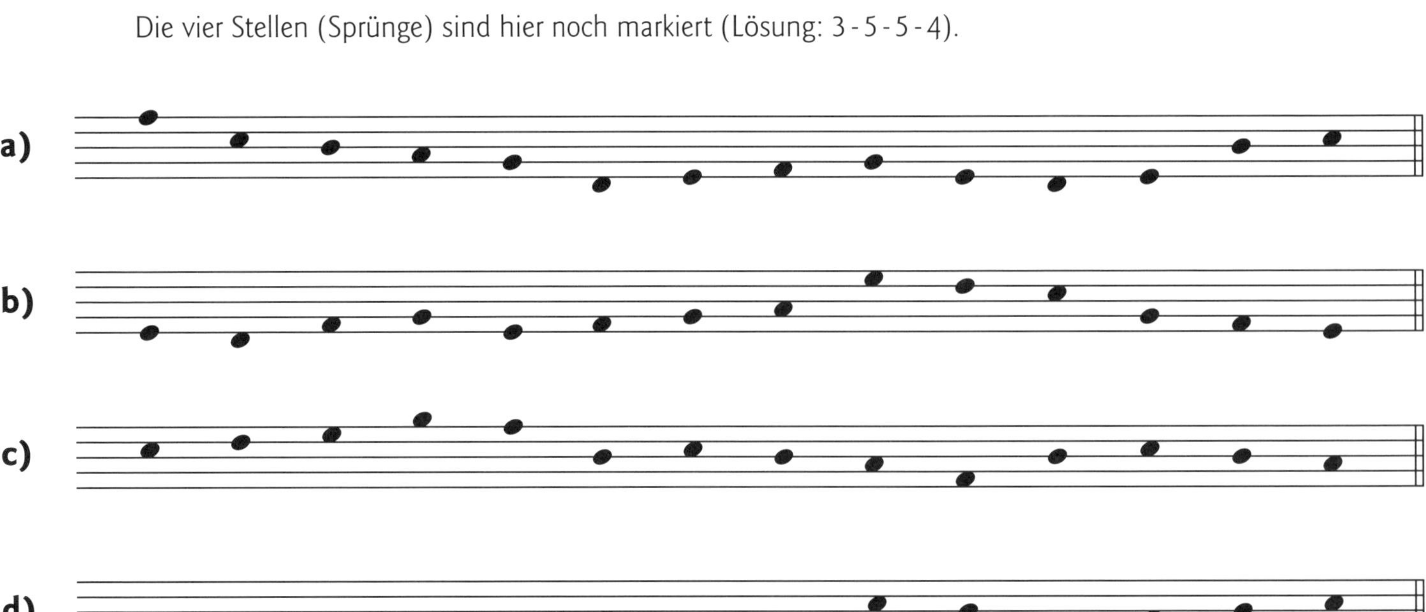

Mit beiden Händen abwechselnd die folgenden melodischen Intervalle irgendwo am Klavier spielen. Dabei den Abstand wieder gut einschätzen und das Intervall benennen.

Sekunden (2) und Terzen (3)

Quarten (4) und Quinten (5)

Alle gemischt (2, 3, 4 oder 5)

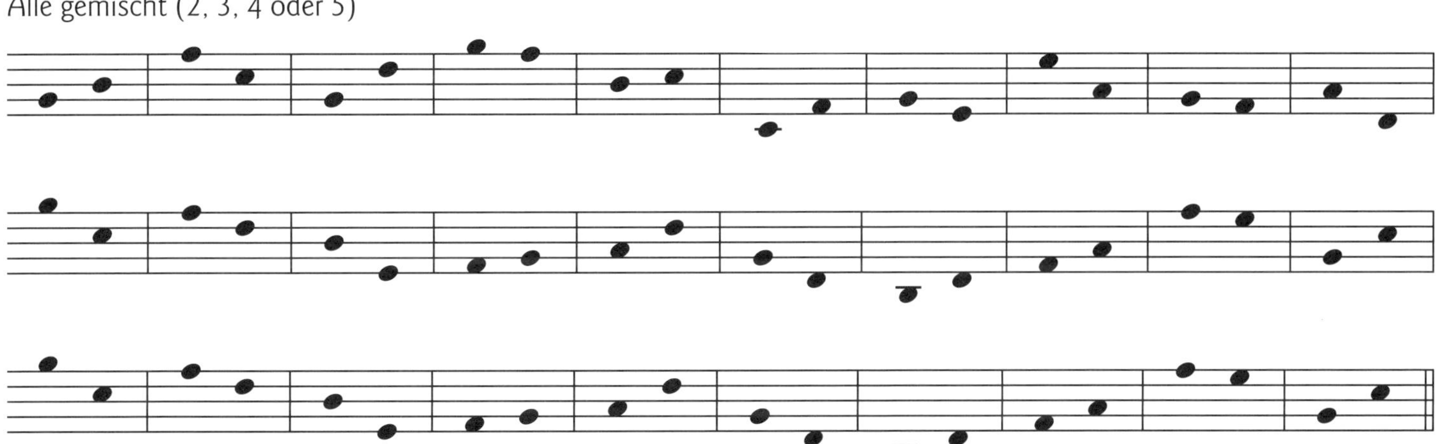

Im Violinschlüssel mit konkreten Tonhöhen: Wähle immer geeignete Finger zum Anfangen aus, indem du schaust, wie weit es danach rauf oder runter geht.

rechte Hand

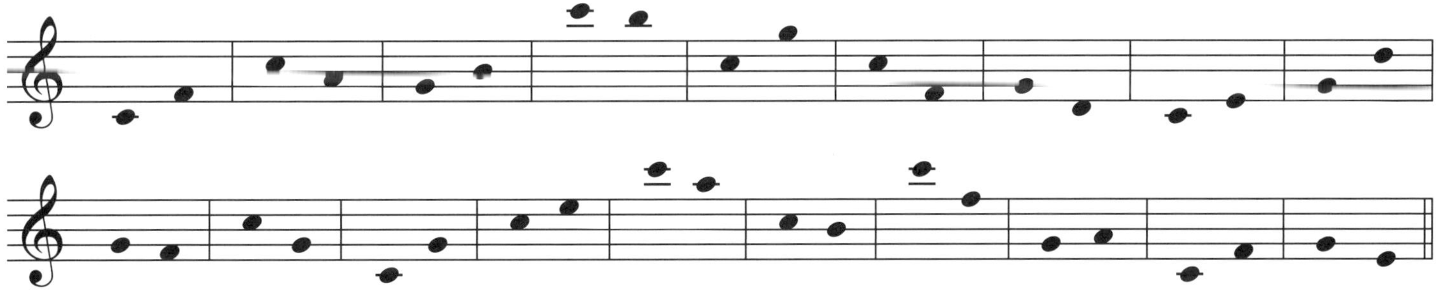

Und jetzt genauso im Bassschlüssel!

linke Hand

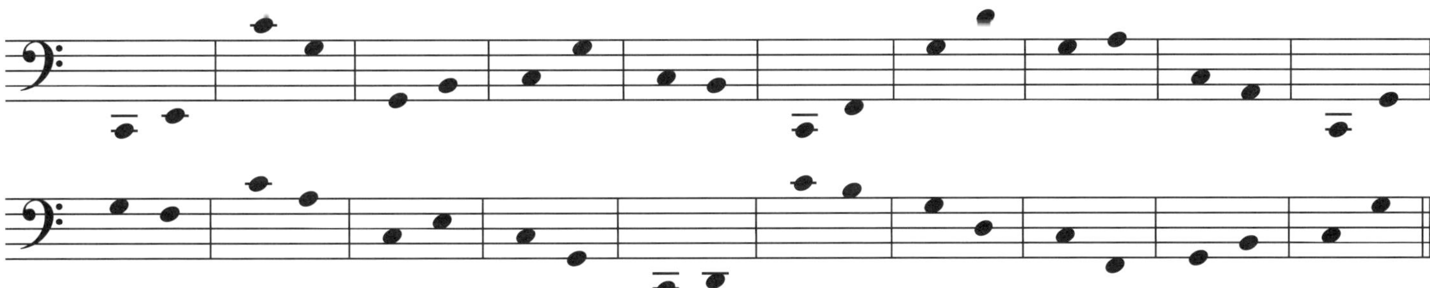

Tonleiter (Nachbarfinger) oder ein größeres Intervall?

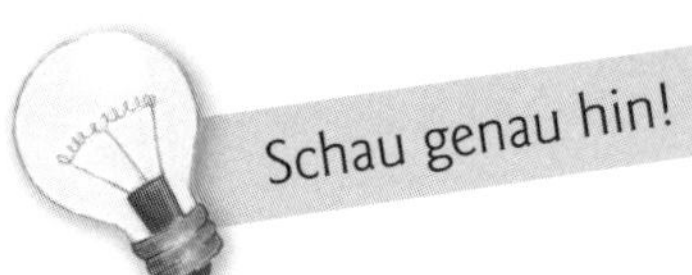

Anfangstöne finden und den richtigen Finger nehmen.

rechte Hand Hier noch mit Markierung (Klammern)

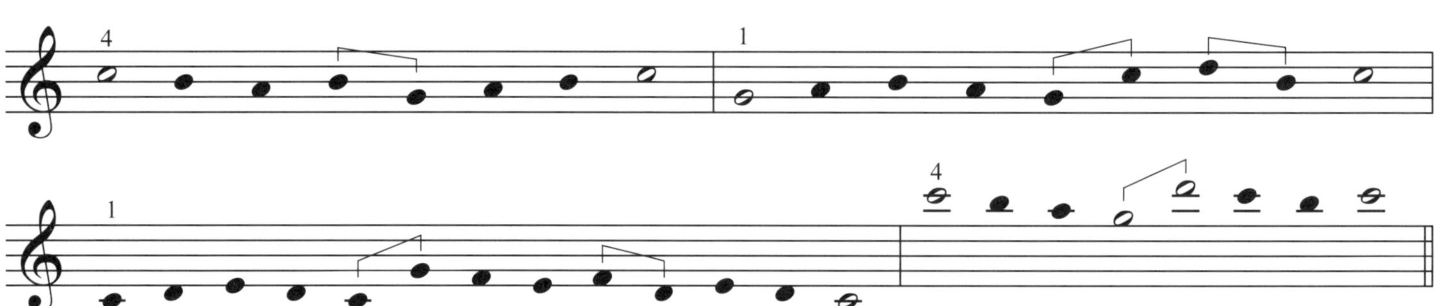

Jetzt ohne Markierung

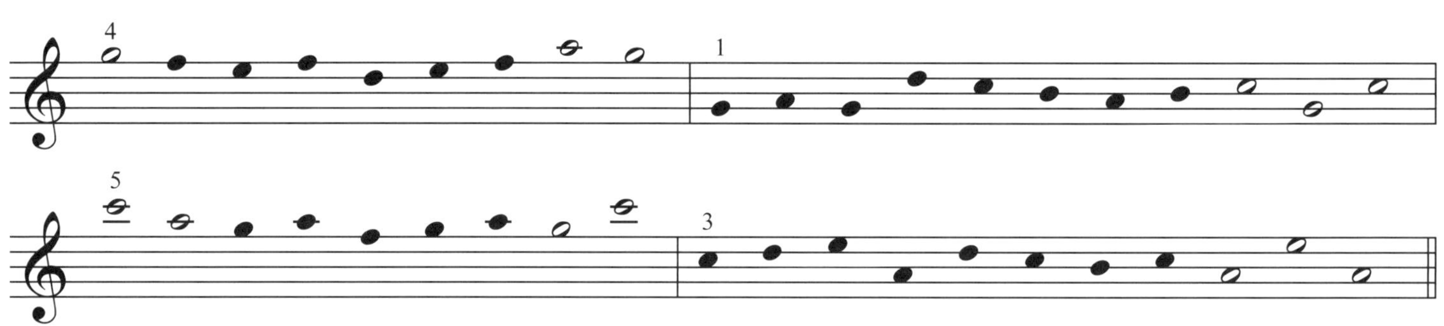

Und jetzt im Bassschlüssel, die Anfangstöne bitte immer benennen.

linke Hand

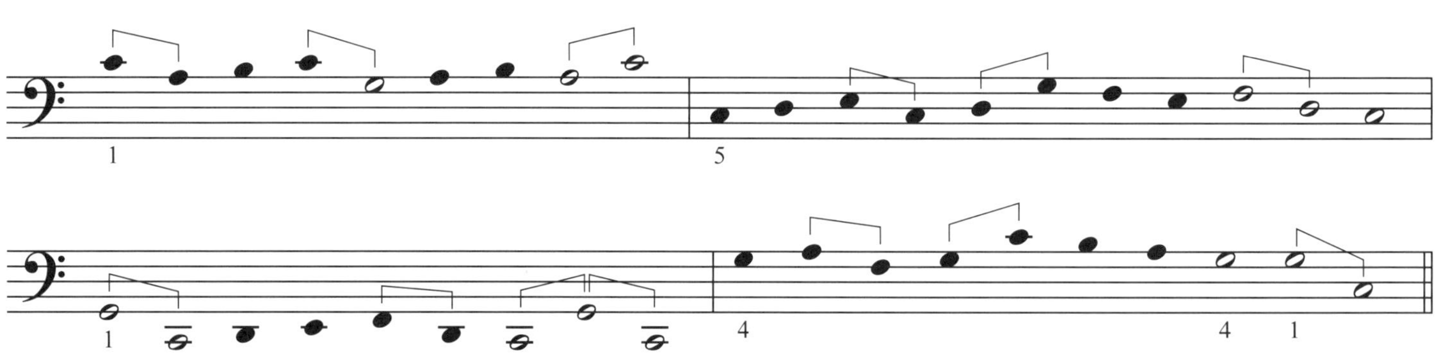

Und wieder ohne Markierung

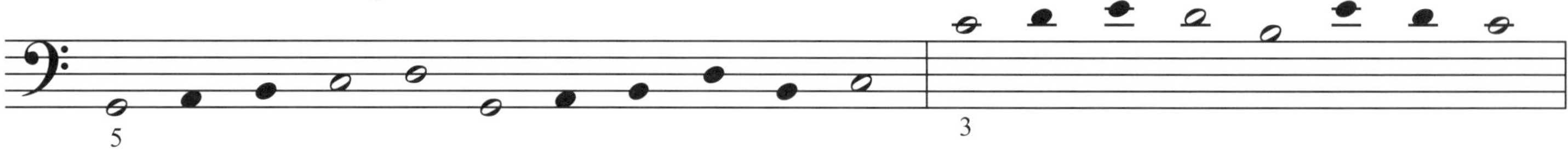

4.4 Melodien mit einem größeren Intervall

Die rechte Hand beginnt ... jetzt wieder mit Takt und Rhythmus.

Jetzt alle Zeilen wiederholen und die Notennamen laut benennen.

Kontrolle zum Mitlesen (Eltern)

a) c-d-e-f-g-c-d-e-d-c / g-a-h-a-g-c-d-c-h-c
b) g-a-h-a-h-c-h-c-d-c-g / g-f-e-f-g-c-d-e-f-e-d-e-d-c
c) g-a-g-g-f-e-f-g-e / c-d-e-d-e-f-g-e-f-e-d-c
d) c-g-a-h-c-d-c-h-a-h-c-d-c / c-d-e-f-e-d-f-e-f-e-d-c
e) g-f-e-f-d-e-d-c / g-f-e-d-e-f-e-c-d-e-d-c
f) c-h-c-d-e-a-h-c-d-c-h-a / c-d-e-f-e-d-e-f-g-c-d-e-f-e-d-c
g) g-f-e-f-g-e-d-c-d-e-d-d-c / c-d-e-c-d-c-h-a-h-c-d-c-h-a-a

Tonleiter (Sekunden) oder ein größeres Intervall?

Melodien mit mehreren Intervallsprüngen (Notennamen bitte mitdenken).
*Zunächst **sehr langsam spielen** und gut auf die Intervalle achten!*

Jetzt beginnt die linke Hand ...

Die rechte Hand übernimmt ...

Beide Hände im schnellen Wechsel

4.5 Zweihändige Übungen

f)
g)
h)
i)
j)

j*) Variante mit Synkopen

k) ... langes Stück

l) ... wilde Oktavsprünge

4.6 Zusammenklänge (Zweiklänge) in einer Hand

Vorübung für die linke Hand
c)
Vorübung für die rechte Hand
d)
e) Klangspiel
mit halbtaktigem Pedal

Die Versetzungszeichen

5

5.1 Spielen und hören 1

Suche eine weiße Taste, die – wie die mittlere Taste (x) auf dem Bild unten – links und rechts von einer schwarzen Taste eingerahmt wird. Spiele nun die weiße Taste abwechselnd mal nach links und mal nach rechts zu den schwarzen Tasten hin und her. Was fällt dir auf?

nach links:
Ton wird tiefer
♭

x

nach rechts:
Ton wird höher
♯

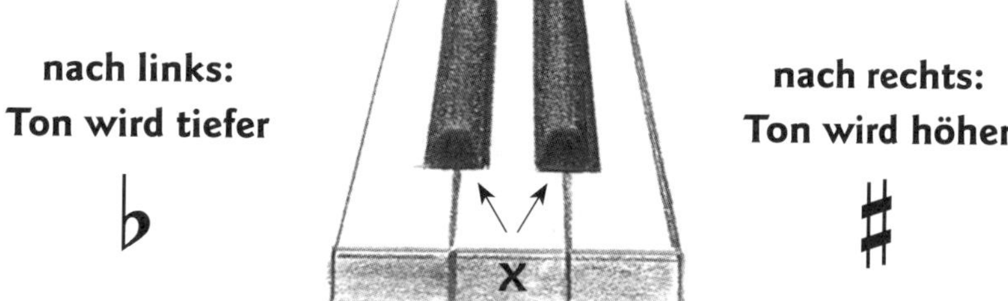

Die schwarzen Tasten haben keine eigenen „Namen", sondern leiten diese von den benachbarten weißen Tasten ab. Wir schreiben vor die entsprechende Note ein Kreuz (♯), wenn wir den Ton erhöhen, und ein ♭, wenn wir diesen erniedrigen möchten.

Erniedrigungen durch das ♭

Wir hängen dem Namen der weißen Note „-es" an.
(3 Ausnahmen: es statt ees, as statt aes und b statt hes)

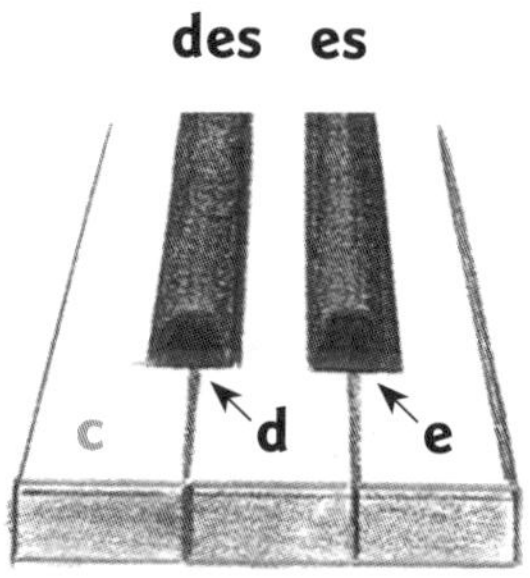
des es
c
d
e

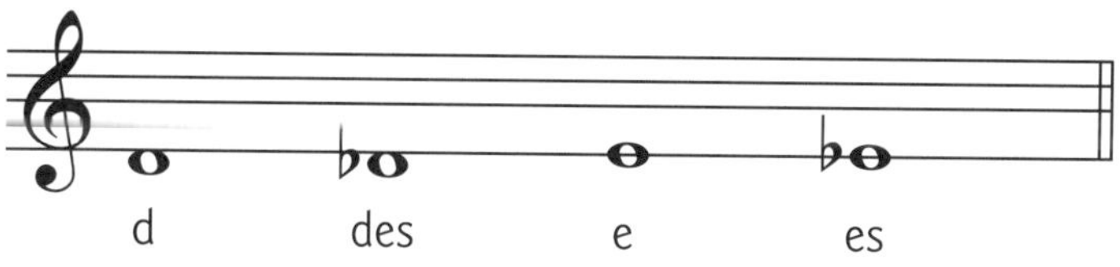
d
des
e
es

Erhöhungen durch das ♯

Wir hängen dem Namen der weißen Note immer „-is" an.

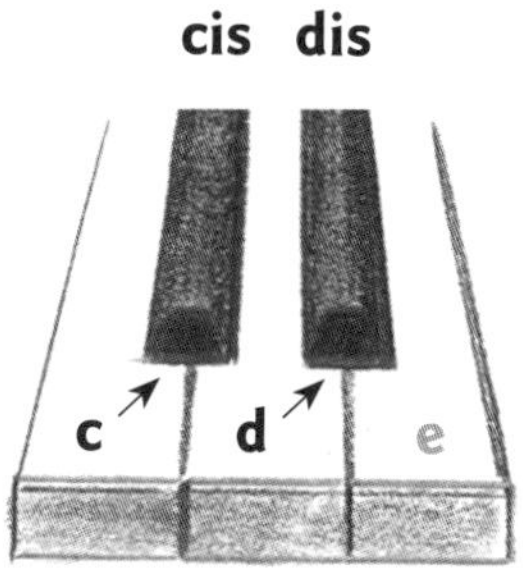
cis dis
c
d
e

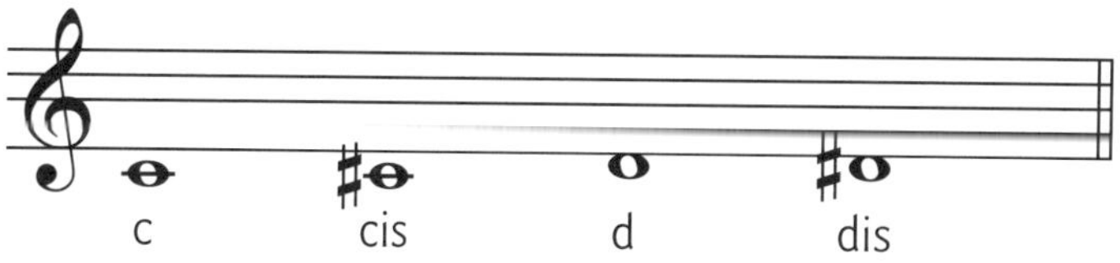
c
cis
d
dis

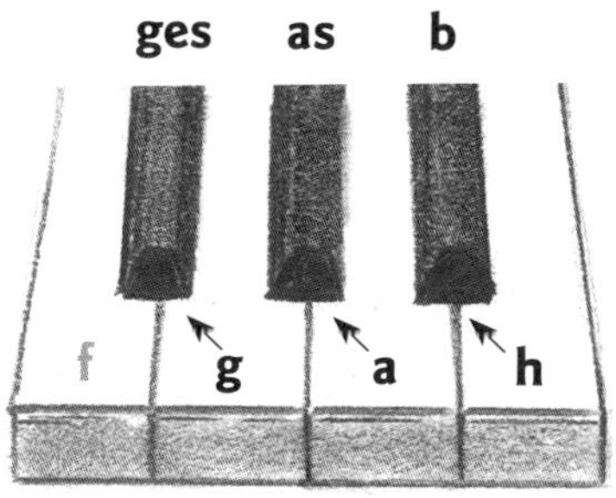
ges as b
f
g
a
h

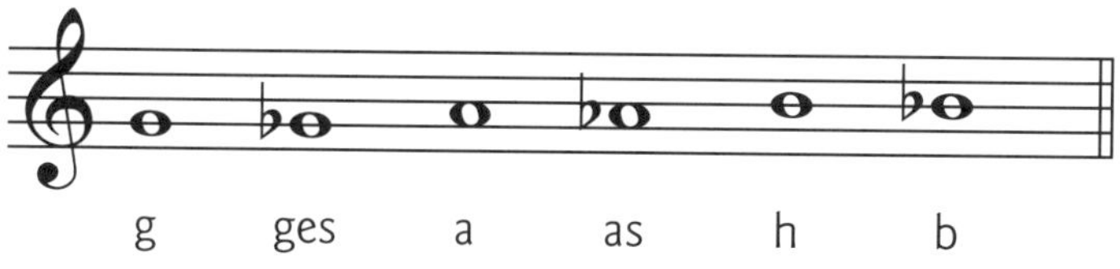
g
ges
a
as
h
b

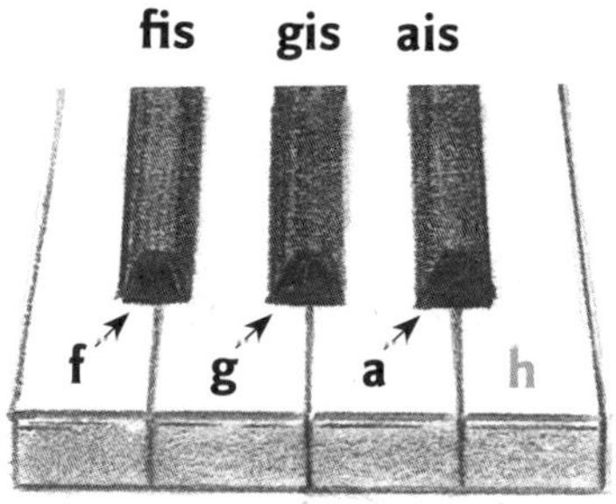
fis gis ais
f
g
a
h

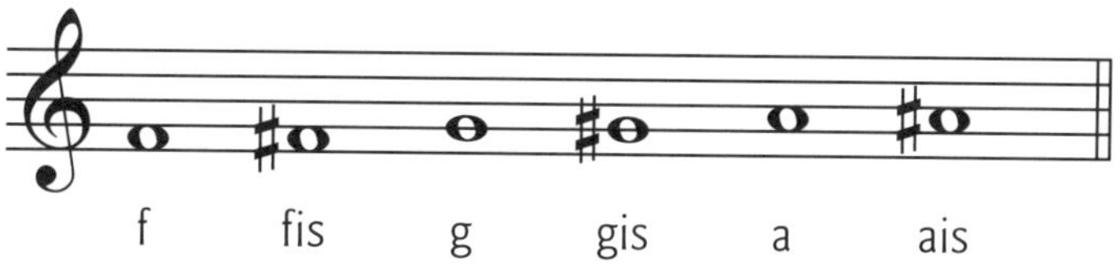
f
fis
g
gis
a
ais

5.2 Die chromatische Tonleiter

(nur Halbtonschritte auf- und abwärts)

Den kleinstmöglichen Abstand von einer Taste (Note) zu der nächsten Nachbartaste (Note) nennen wir Halbtonschritt. Beginne beim c[1] und spiele alle Tasten aufwärts (nach rechts). Lasse wirklich keine Taste aus – auch alle schwarzen Tasten müssen gespielt werden. Es kommen fünf erhöhte Noten vor. Trage deren Namen in die runden Felder ein.

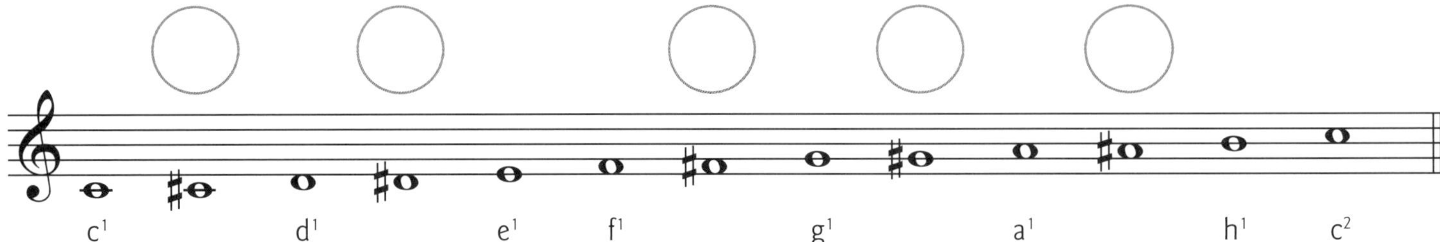

Und nun abwärts vom c[2] zurück bis zum c[1] und wieder keine Taste auslassen. Hier kommen fünf erniedrigte Töne vor. Trage wieder die Namen in die runden Felder ein.

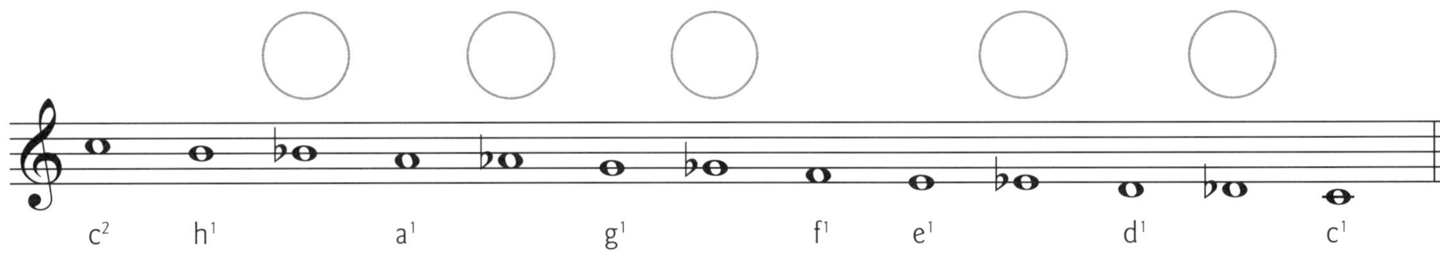

5.3 Jede schwarze Taste hat zwei Namen

Wir können zu jeder schwarzen Taste von unten (mit ♯) oder von oben (mit ♭) gelangen. Einmal benennt sie sich nach der weißen Taste darunter (links von der schwarzen Taste) und das andere Mal nach der weißen Taste darüber (rechts neben der schwarzen Taste).

Hier bitte die zwei möglichen Namen eintragen.

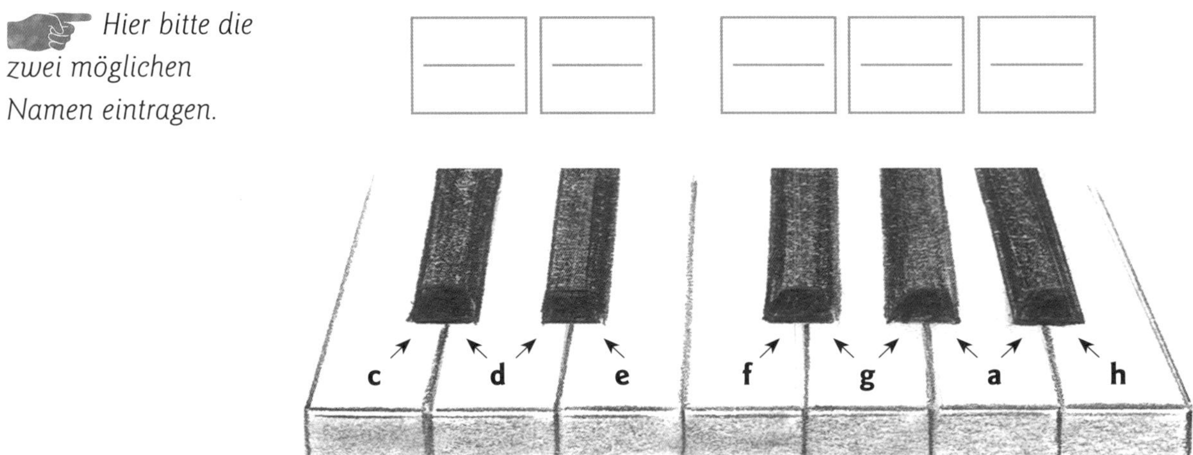

Und jetzt bitte beide Noten, die die gleiche schwarze Taste meinen, nebeneinander in jeweils einem der Takte notieren.

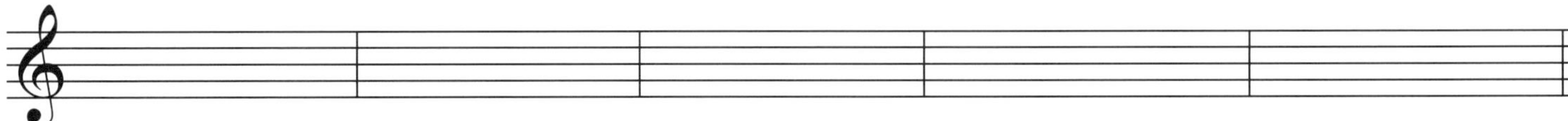

Grundsätzlich gelten Versetzungszeichen (♯ / ♭) nur bis zum nächsten Taktstrich. Danach fallen sie wieder weg.

Mit dem Auflösungszeichen kann man eine Erhöhung oder Erniedrigung sofort wieder aufheben. Wir spielen den betreffenden Stammton wieder im „Original" – als weiße Taste.

5.4 Spielen und hören 2 – die Dur-Tonleiter

Spiele folgende Tonleitern und finde nach Gehör heraus, welcher Ton nicht in eine Dur-Tonleiter passt. Markiere den „falschen" Ton und passe ihn mit einem Versetzungszeichen (♯ oder ♭) „richtig" an.

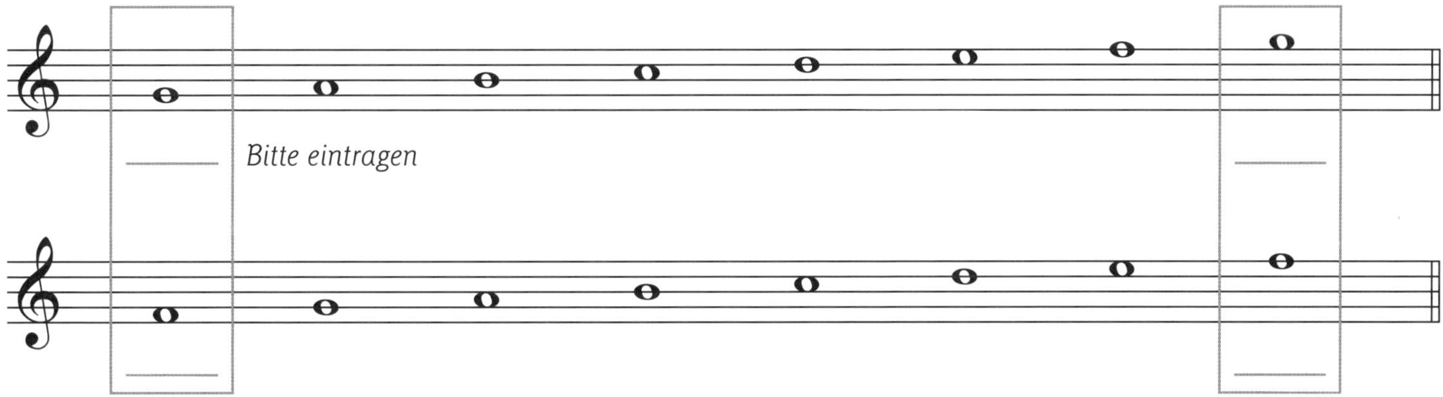

Bei den nächsten beiden Tonleitern müssen mehrere Töne angepasst werden. Trage wieder die richtigen Versetzungszeichen ein und benenne die „neuen" Töne!

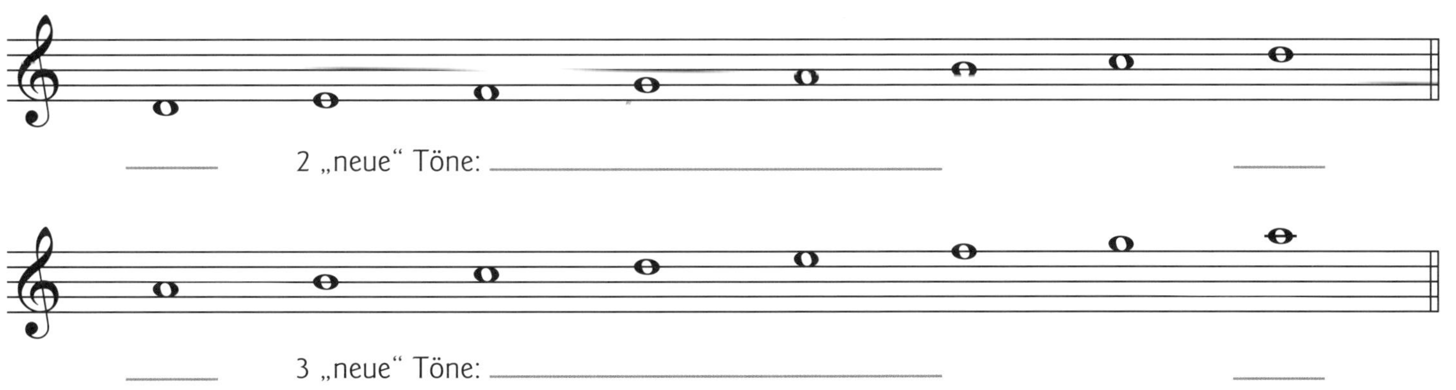

5.5 Erste Übungen mit Versetzungszeichen

r.H.
l.H.
r.H.
l.H.
♯ + ♭

5.6 Wieder im Takt

Erinnerung: Ein Versetzungszeichen gilt immer den ganzen Takt (das Sternchen * bedeutet: Zeichen gelten noch).

Weiterhin alle erhöhten und erniedrigten Noten bitte benennen.

5.7 Längere Melodien

Immer daran denken, dass ein neues Versetzungszeichen bis zum nächsten Taktstrich gilt, also alle betreffenden Noten erhöht (♯) oder erniedrigt (♭) werden.

Hände einzeln

(c-Moll)

(a-Moll)

(g-Moll)

(e-Moll)

(B-Dur)

(Es-Dur)

(As-Dur)

Beide Hände im Wechsel

(F-Dur)

(e-Moll)

(f-Moll)

(G-Dur)

5.8 Zweihändige Stücke

(c-Moll)

(e-Moll)

3 - 1 *(umgreifen)*

(f-Moll) *Hier bitte erst den Rhythmus mit beiden Händen klopfen.*

(C-Dur mit Ausweichungen)

5.9 Spielen und hören 3 – Akkordexperiment

Im ersten Akkordexperiment (S. 34) haben wir drei Dur- und drei Moll-Dreiklänge kennengelernt. Sie bestehen immer aus drei verschiedenen Tönen (aufgebaut wie ein Schneemann):

Grundton (unten) – Terzton (Mitte) – Quintton (oben)

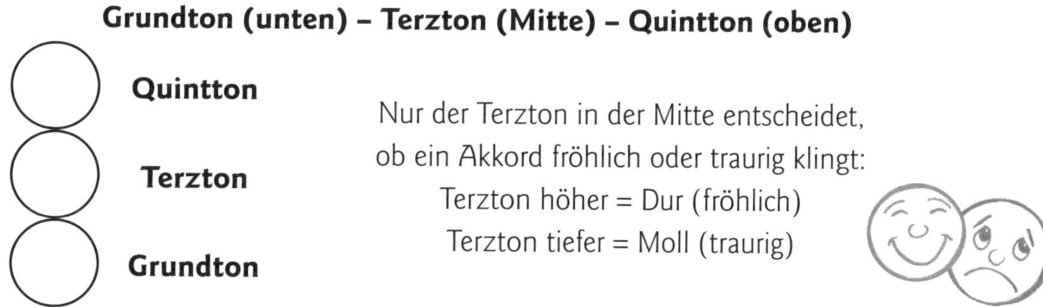

Nur der Terzton in der Mitte entscheidet, ob ein Akkord fröhlich oder traurig klingt:
Terzton höher = Dur (fröhlich)
Terzton tiefer = Moll (traurig)

Jetzt folgen alle Dur- und Moll-Akkorde auf den Tasten C bis A.

Dur ←→ Moll

Wir verwandeln einen Dur- in einen Moll-Akkord, indem wir den Terzton um einen halben Ton erniedrigen (mit dem ♭). Umgekehrt wird aus einem Moll- ein Dur-Akkord, wenn wir den Terzton um einen halben Ton erhöhen (mit dem ♯).

Trage die fehlenden Versetzungszeichen und Notennamen bei den Fragezeichen ein.

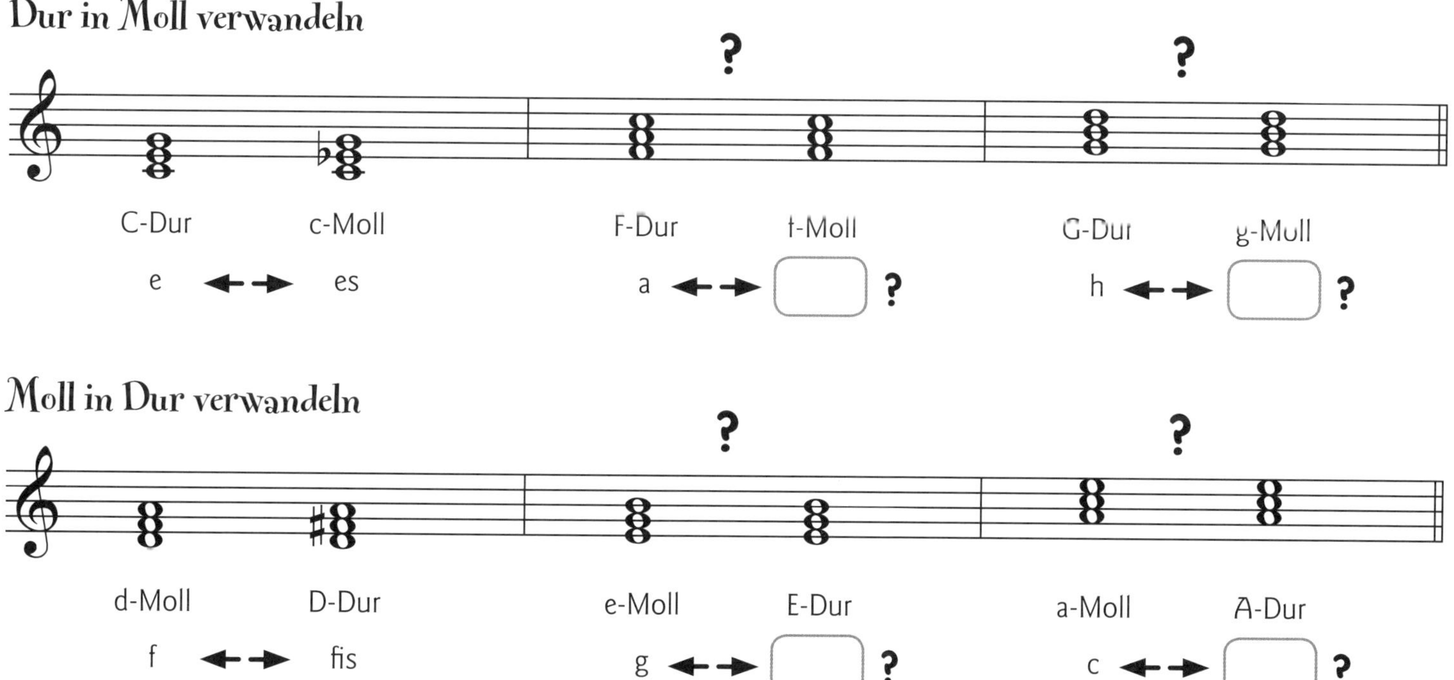

Die Versetzungszeichen ♭ oder ♯ werden bei dem „neuen“, dem 2. Akkord immer genau vor die mittlere Note, also den Terzton gesetzt. Die Terztöne e, a, und h werden um einen halben Ton erniedrigt zu es, as und b. Die Terztöne f, g und c werden um einen halben Ton erhöht zu fis, gis und cis.

6 Finale

6.1 Rhythmustraining 3

Notenwerte		
Ganze Note	4 Zählzeiten	
Halbe Note	2 Zählzeiten	
Viertelnote	1 Zählzeit	
Achtelnote	2 Achtel ergeben eine Viertel	

Pausenwerte	
Ganze Pause	*Neu!*
Halbe Pause	*Neu!*
Viertelpause	*Neu!*
Achtelpause	*Neu!*

1 Ganze Pause = 2 Halbe Pausen = 4 Viertelpausen = 8 Achtelpausen

Die folgenden Übungen mehrmals klopfen und dabei die Pausen bitte genauso exakt zählen wie die Noten. Und bitte nie aufhören, weiterzuzählen, wenn eine Pause kommt. Gerne mit der freien Hand oder einem Fuß den Takt (den „Beat“) dazuklopfen. **Alle Pausen haben eine genaue Länge!**

4/4 *zählen:* 1 2 3 (4) | (1) (2) 3 + 4 | (1) + 2 3 + (4) | 1 + 2 + 3 4

4/4 1 + 2 + 3 4 | 1 + (2) + 3 (4) | (1) (2) 3 + 4 | 1 + (2) + 3 + 4

3/4 1 (2) 3 | (1) + 2 + 3 | 1 + 2 + (3) + | 1 (2) 3 | (1) (2) + 3

3/4 1 + (2) + 3 + | 1 + (2) (3) + | 1 (2) 3 | 1 + (2) + 3 | (1) + 2 + 3

4/4 1 + (2) + (3) + (4) + | 1 + (2) + (3) + 4 | 1 2 (3) 4 | (1) 2 3 + 4

4/4 1 + 2 + (3) (4) | (1) + 2 + (3) 4 + | 1 (2) (3) + 4 + | (1) (2) (3) (4) + | 1 (2) (3) + 4

3/4 1 (2) + (3) + | (1) (2) 3 + | 1 + (2) + 3 + | (1) (2) 3 | (1) (2) + 3 + | 1 + (2) + 3

6.2 G-Dur und g-Moll

6.3 Pentatonisches Klangspiel

rechtes Pedal durchgehend halten

Varianten für die rechte Hand: 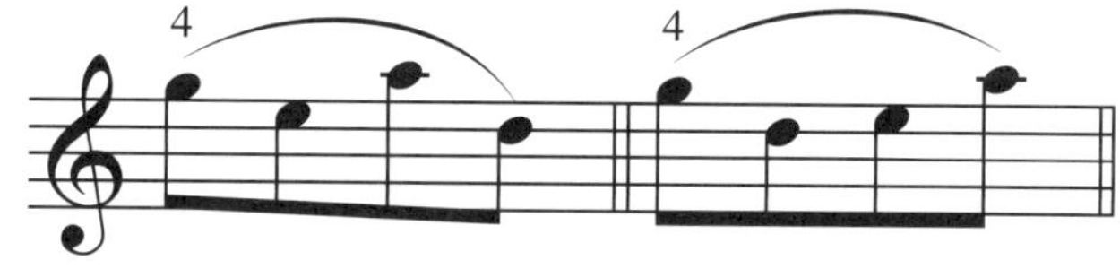

6.4 Rhythm & Blues

(gerne swingende Achtel)

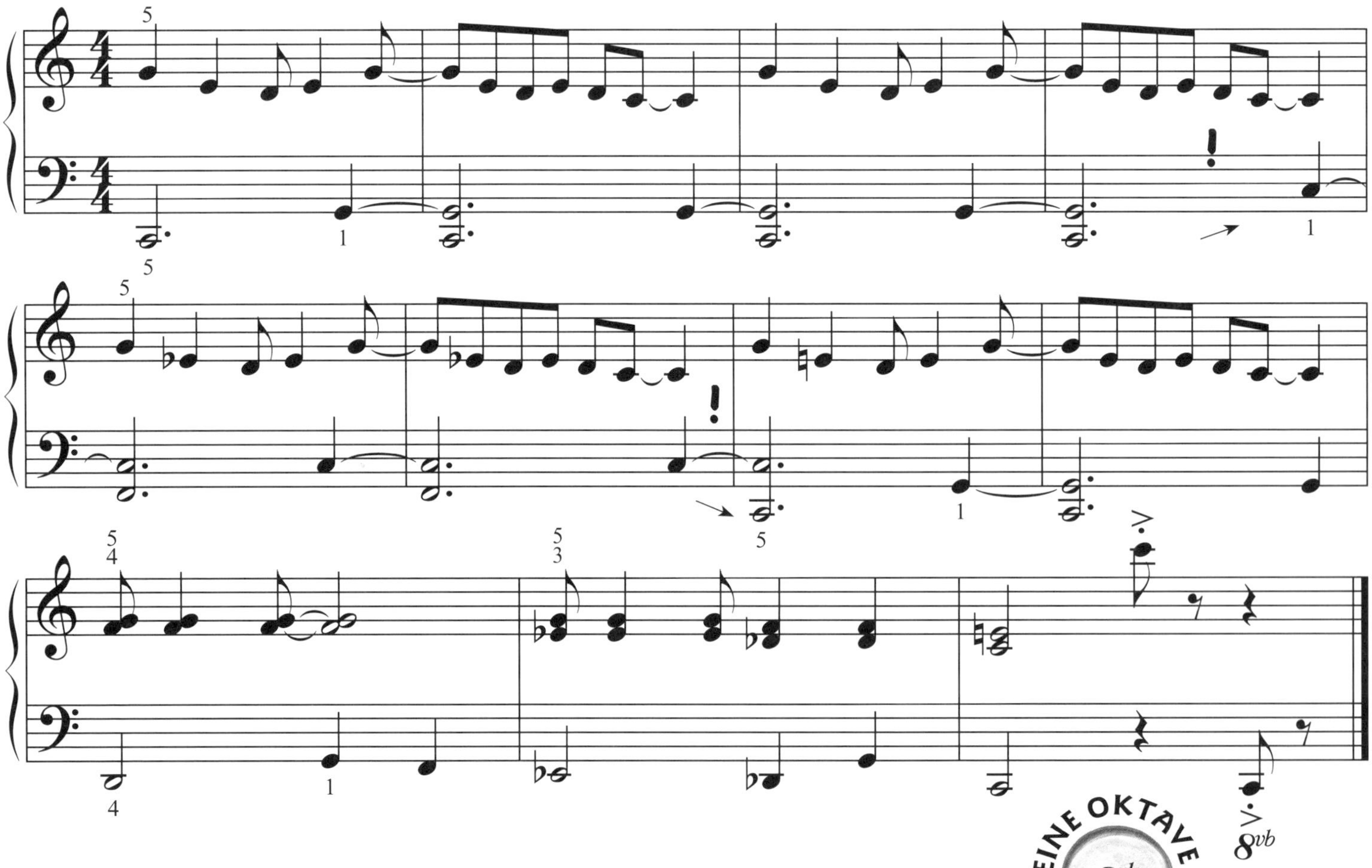

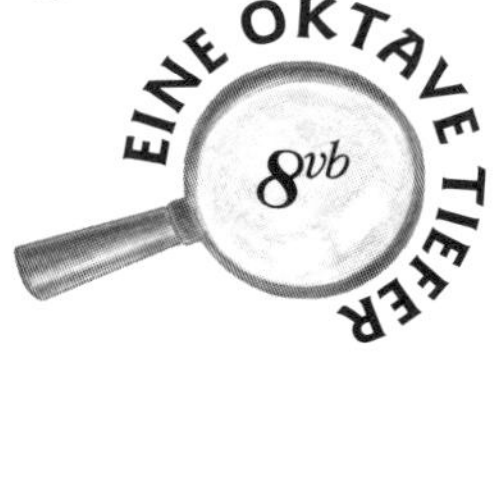

8vb

EINE OKTAVE TIEFER 8vb

6.5 Verträumtes Klangspiel 1

Mögliche rhythmische Muster (klopfen)

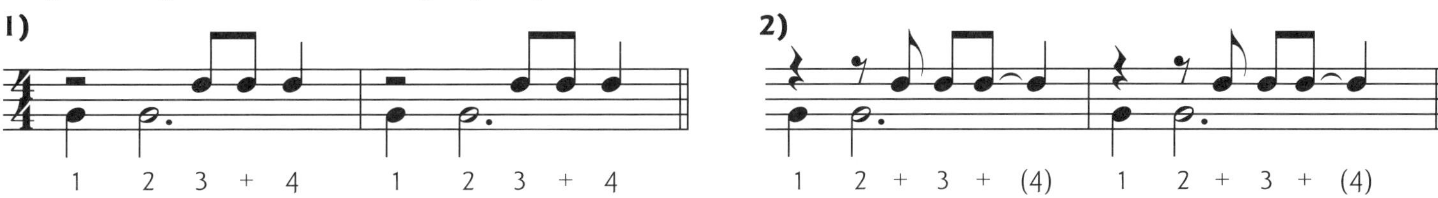

Bei diesem Zeichen ⁒ (Faulenzer) den vorigen Takt wiederholen.

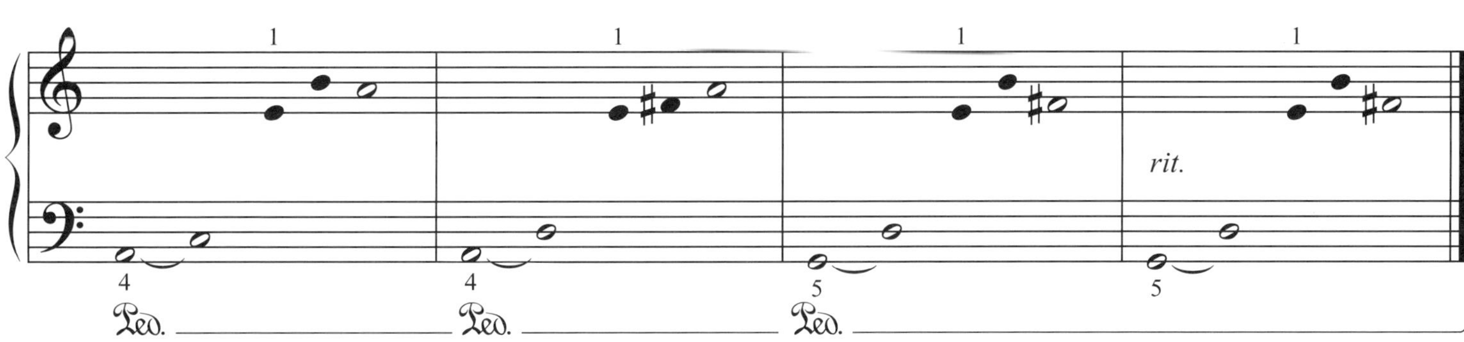

Rhythmusübung – beide Hände klopfen

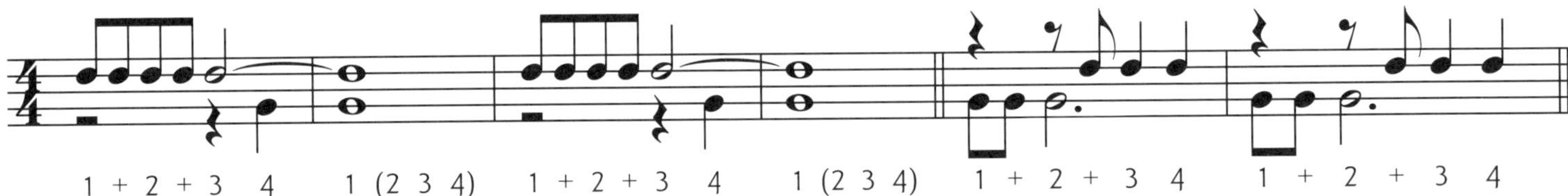

Vorübung für die linke Hand

6.6 Verträumtes Klangspiel 2

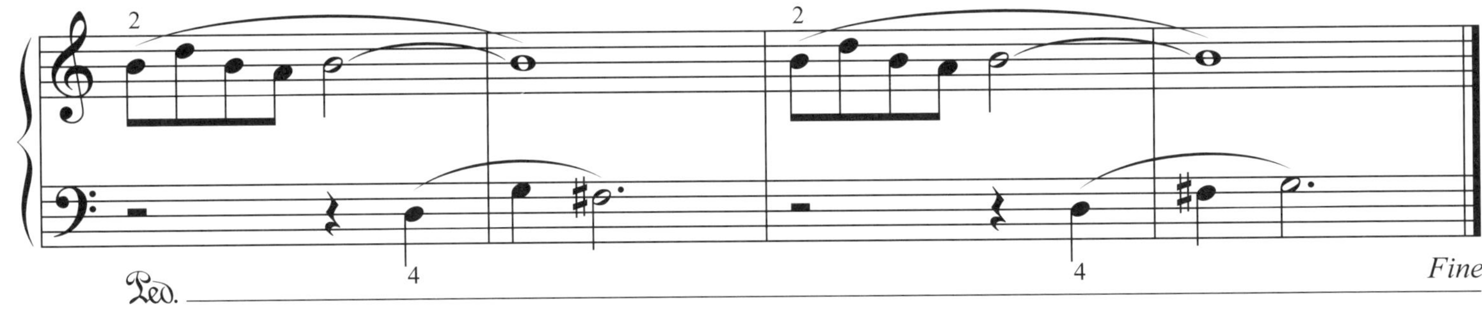

6.7 Fröhliches Stück mit traurigem Schluss

In diesem Stück kommen wiederum Auflösungszeichen vor (T. 2, 4, 8), die eigentlich nicht nötig wären, da die Versetzungszeichen nach einem Taktstrich automatisch nicht mehr gelten. Sie helfen, Fehler zu vermeiden.

6.8 Melancholisch

Hier ergeben sich Zusammenklänge, indem einige Töne liegenbleiben, während andere dazukommen, bis zu einem ganzen Akkord. Gelegentlich muss man Doppelgriffe spielen.

6.9 Verträumtes Klangspiel 3

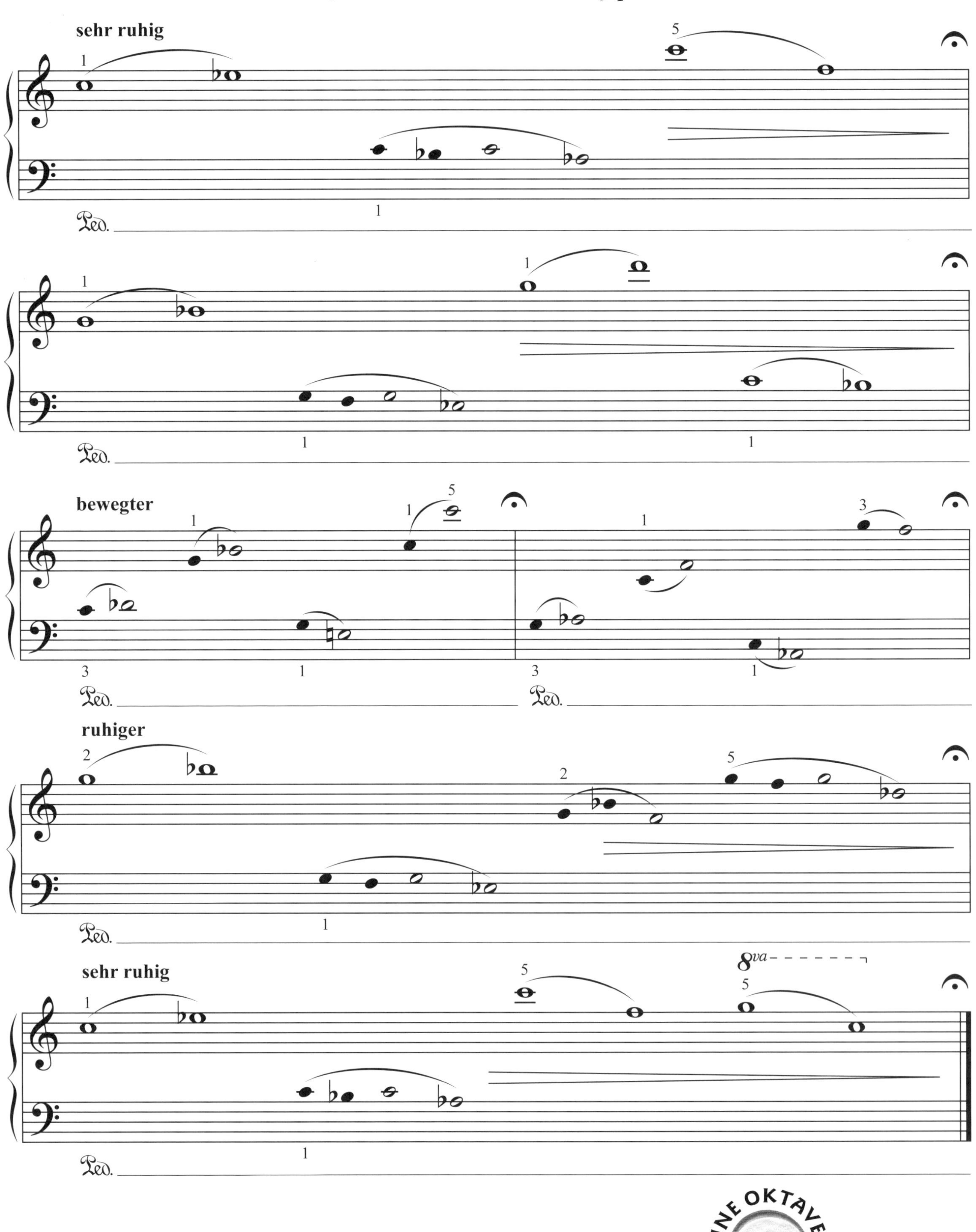